In Anerkennung besonderer Leistungen in der deutschen Sprache und Literatur:

Überreicht vom Generalkonsulat der Bundesrepublik Deutschland in Boston.

Linde von Keyserlingk

Sie nannten sie Wolfskinder

www.herder.de
Umschlagillustration: Henriette Sauvant
Einbandgestaltung: Uwe Stohrer
Satz und Layout: Barbara Herrmann, Freiburg
Herstellung: fgb · freiburger graphische betriebe
www.fgb.de
Printed in Germany
ISBN: 978-3-451-70859-6

Linde von Keyserlingk

Sie nannten sie Wolfskinder

FREIBURG · BASEL · WIEN

Vorwort

Wie ein Feuersturm hatte sich der Krieg zwischen 1939 und 1945 über ganz Europa ausgebreitet und alles in Schutt und Asche gelegt. Am Ende flohen viele Millionen Menschen von Ost nach West vor einer Armee, die sie die Rote nannten. Jeder versuchte, das letzte Schiff, den letzten Zug, die letzte noch stehende Brücke zu erreichen. Familien wurden auseinandergerissen, Menschen starben zu Tausenden noch lange nachdem der eigentliche Kampf vorüber war. Hungersnöte brachen aus, Grenzen verschoben sich, ein Sprachengewirr entstand.

Es ist das Jahr 1945. Eine bleierne Stille breitet sich aus. Da schlüpfen aus Waldhöhlen, Kellerlöchern und verlassenen Höfen Kinder, auch sehr kleine Kinder, verloren gegangen, vergessen, verlassen, verwahrlost. Niemand versorgt sie mehr.

Verzweifelt irren sie durch die Wälder, an einsamen Stränden entlang, durch die Ruinen der Städte und verwüstete Felder auf der Suche nach Essbarem. Wie ist es möglich, dass einige von ihnen überleben?

In ihren Herzen brennt ein Feuer, auch Zorn, der sie stark macht. Sie wollen nicht namenlos sterben und ihre Hoffnung richtet sich auf Morgen. Ihre Fantasie breitet die

Flügel aus und lässt sie an ein friedliches Königreich glauben, sehr fern zwar, hinter den sieben Bergen und sieben Meeren, aber nicht unerreichbar. Sie müssen nur Freundschaft schließen, fest zusammenhalten, sich gegenseitig helfen. Einer, der in dieser Geschichte Ambromow heißt, fängt damit an und langsam kommen andere dazu, bis es sechs, nein acht Kinder sind, ein Rudel. Ein Rudel von Wolfskindern.

Der Hilflose hilft den Hilflosen und wird dadurch stark, wird erfinderisch, ausdauernd und mutig. Die Anderen tun es ihm gleich. So beginnt die unendliche Reise der Wolfskinder.

Am Meer

Als sie das Meer erreichten, ging gerade die Sonne unter. Schwer lag sie auf dem Wasser und rollte einen roten Teppich zu ihnen hin. So etwas hatten sie noch nie gesehen.

Sie setzten sich auf die Düne und holten getrocknete Brotstücke aus der Tasche, die sie erbettelt hatten. Lange kauten sie darauf herum. Einmal zeigte Ambromow, der Ältere, mit ausgestrecktem Arm zum Ufer. Ein großer weißer Elch schritt ruhig und majestätisch ins Wasser, tauchte ein und schwamm mit kraftvollen Zügen davon. Man sah sein prächtiges Geweih im Abendlicht. Es leuchtete wie Gold.

„Wohin will er?", fragte der Jüngere.

„Über die sieben Berge und sieben Meere ins neun mal neunte Königreich", sagte Ambromow. „Hätte uns auch gleich mitnehmen können."

Erstaunt sah der Jüngere ihn an.

„Was sollen wir denn da? Oder liegt das dort im Westen, wo wir hinwollen?

„Ist doch nur so ein Spruch, Ismael", murmelte Ambromow, grub sich ein wenig in den warmen Sand und schlief. Ismael tat das gleiche.

Es war Frühsommer.

Wie lange sie schon zusammen unterwegs waren, wussten sie nicht. Die Zeit war ihnen verloren gegangen, seit sie sich in den Wirren der letzten Kriegstage im Wald getroffen hatten. In Russland war das. Zwischen Minsk und Pinsk, oder so. Sommer und Winter waren darüber schon vergangen und jetzt endlich sahen sie das Meer, das ihnen ein Wegweiser nach Westen sein sollte. Immer am Ufer entlang sollten sie gehen, hier in Litauen und dann weiter. Das hatte ihnen ein Soldat gesagt, ein Deutscher, der auch auf der Flucht war, der heim wollte, dahin, wo es was zu essen gab. Aber jetzt schliefen sie erst einmal beide tief und fest.

Als sie am nächsten Morgen in den Dünen erwachten, saß ein kleines Mädchen vor ihnen und sah sie mit großen haselnussbraunen Augen an. Sie setzten sich auf und rieben sich die Augen. Und dann sahen sie zwei. Zwei Mädchen, völlig gleich. Obwohl sehr klein, waren sie schon wie Bäuerinnen gekleidet, mit bunten Röckchen und Kopftüchern. Und ihre Kleidung war nicht schmutzig und zerschlissen, so wie die der weit gewanderten Jungen.

Ein Elch, der ins Meer hinausschwimmt, und zwei kleine Mädchen, die aus dem Nichts auftauchen, dachte Ismael. Es wird immer komischer. Er war auf der Hut, wollte das, was er noch hatte, nicht mit anderen teilen, denn es war wenig genug. „Wir müssen jetzt gehen", sagte er leise und zog Ambromow am Ärmel.

Aber die Mädchen nahmen jetzt ihre Rucksäcke ab und holten Speck und Brot heraus. Mit einem Küchenmesser schnitt eines geschickt vier hauchdünne Scheiben von beidem ab. Wie gebannt sahen die Jungen ihr zu und rührten sich nicht. Brot und Speck, was für Kostbarkeiten waren das: „Dürftest du Schweinespeck überhaupt essen, Ismael?“, flüsterte Ambromow leise lachend. Ismaels Zurückhaltung schwand. Er sah auf den Speck, und das Wasser lief ihm im Mund zusammen. „Der Hunger treibt's gegebenenfalls schon rein“, flüsterte er zurück.

Dann saßen sie alle einträchtig auf der Düne und aßen. Ganz vorsichtig aßen sie, so wie sie früher vielleicht Zuckerzeug oder Plätzchen gegessen hätten. Geredet hatten sie noch nichts.

Plötzlich fühlte Ismael einen warmen Atem in seinem Nacken. Er fuhr zusammen, drehte sich um – und sah in die strengen gelben Augen einer Ziege. Sie meckerte fragend.

Ismael war verwirrt, sprang auf und sagte: „Was soll das? Was passiert hier eigentlich?“ Die andern lachten.

Eines der kleinen Mädchen hatte unterdessen einen Blechtopf von seinem Rucksack losgebunden, führte die Ziege ein paar Schritte zur Seite, setzte sich zu ihr und fing an, sie mit kleinen flinken Fingern zu melken. Die Ziege ließ sich das ruhig gefallen, zupfte dabei hier und da ein Büschel Dünengras ab. Die Milch spritzte in den Topf, mit diesem besonderen, zischenden Ton, der schon beim Hören durstig machte. Als der Topf voll war, kam das Mädchen wieder zu den anderen, und reihum tranken sie die noch warme Milch. Dann schauten sie eine Weile aufs Meer hinaus.

„Wo kommt ihr her?", fragte Ambromow schließlich und deutete vage nach Osten. Die Zwillinge sahen sich an und zogen ihre mageren, kleinen Schultern ein wenig hoch. Dann machten sie eine Handbewegung, als würden sie etwas über ihre Schulter werfen.

„Dunika", sagten sie wie aus einem Munde.

Aus Dunika? Wo mochte das sein?

Jetzt gingen die Mädchen zur Ziege, redeten zärtlich mit ihr in einer fremden Sprache und banden ihr ein Seil um, an dem sie sie führen konnten.

„War das Ziegensprache?", fragte Ambromow. Er lächelte.

Wieder zogen die Mädchen ihre Schultern hoch, sahen sich an, kicherten und antworteten nicht. Sie packten ihre Sachen zusammen. Doch nach einer Weile sagte eines: „Wir können auch ein bisschen Russisch, aber Putje versteht eben nur Lettisch. Putje heißt ‚Blümchen', weißt du. Als wir losgingen, wollte die Ziege unbedingt mit."

Da gäbe es noch viel zu fragen, aber Ambromow stand auf. Er sah zu Ismael. Der fing jetzt auch schon an, mit den Schultern zu zucken. Das nahm Ambromow als Zustimmung. Nun gut.

So wanderten sie jetzt zu viert weiter gen Westen, immer das Meer rechts von ihnen im Blick. Für die Mädchen war dieses Meer ein Teil ihrer Heimat, für die Jungen ein Wegweiser in eine unbekannte, bessere Welt.

Mit den Zwillingen und ihrer Ziege kamen sie nicht gerade schnell voran. Die Jungen wurden ungeduldig. In der Nacht flüsterte Ismael Ambromow zu: „Lass uns abhauen."

Sie nahmen die Rucksäcke der schlafenden Mädchen und schlichen sich davon. Im Stehlen waren sie erprobt. Leise, wie vorwurfsvoll, meckerte die Ziege.

Sie liefen und stolperten durch die Nacht, lange Zeit.

„Der Mensch ist dem Menschen ein Wolf", hörte Ismael auf einmal in seinem Inneren die leise Stimme seines Vaters. „Güte und Gerechtigkeit sollen dich begleiten dein Leben lang!" Aber Ismael war ein Zweifler geworden. Wo waren Güte und Gerechtigkeit, als seine Eltern im Lager getötet wurden? Böse und stumm versuchte er, die Mädchen zu vergessen, ihre hellen Gesichter, ihre dick geflochtenen Zöpfe, ihre zierlichen, flinken Hände …

Da blieb Ambromow stehen. „Wir sind auch nicht besser", murmelte er. „Komm, lass uns umkehren." Nicht besser als wer?, wollte Ismael fragen. Aber er wusste, woran sein Freund dachte. Erst vor kurzem hatten andere Flüchtlinge sie verprügelt und ihnen alles Essbare weggenommen. Aber wollte Ambromow jetzt ein Heiliger werden?

Die Sonne ging gerade auf, als sie wieder bei den Mädchen anlangten, die Rucksäcke in der Hand. Zum Glück schliefen die beiden noch, arglos, die bunten Kopftücher über sich gebreitet wie eine Blumenwiese. Da setzten die Jungen leise die Rucksäcke ab, so als sei nichts geschehen.

Später, nachdem sie die Ziege gemolken und die Milch mit den anderen geteilt hatten, wanderten die Mädchen fröhlich vor sich hin, sangen Lieder in der Ziegensprache, ritten auch mal abwechselnd auf Putje, und setzten sich hin, um zu essen oder um auszuruhen. Bereitwillig teilten sie alles mit den Jungen. Aber Ambromow hatte seine Zweifel, ob sie mit diesem „Anhang" die Grenzwachen würden umgehen können, denn irgendwelche Grenzen gab es bestimmt auf ihrem Weg nach Westen.

Das Wetter war heiß, und als es Abend wurde, sprangen die Jungen ins Meer. Die Zwillinge saßen nur so da, kühlten sich ihre müden Füße im Wasser und flüsterten miteinander wie zwei kleine alte Frauen. Sollten sie mit den Jungen zusammenbleiben, mit ihnen weitergehen? Wie weit denn eigentlich?

Dann gab es wieder Brot und Speck, und Putje, die Ziege, spendete ihre warme Milch. Es war irgendwie friedlich. Das Leben ist schön, wenn es zu essen gibt, dachte Ismael. Er hatte jetzt ein schlechtes Gewissen wegen der Rucksackgeschichte und fragte freundlich: „Wie heißt ihr eigentlich?" Aber die Zwillinge verstanden ihn nicht, weil er jiddisch gesprochen hatte. Er wollte die Frage auf Russisch wiederholen, doch Ambromow kam ihm zuvor.

Da sahen die Zwillinge sich an, lächelten und sagten wie aus einem Munde: „Aina und Daina."

„Ambromow und Ismael." Ambromow zeigte auf sich und den Kleineren. Und mit einer Geste ins Landesinnere fügte er hinzu: „Wir kommen von weit her, aus Minsk."

„Russen“, sagten die Mädchen und nickten. Sie lächelten nicht mehr. Vielmehr runzelten sie die Stirn und kniffen die Lippen zusammen. Es wurde auf einmal still. Was war geschehen?

Eilig gingen die Zwillinge hinauf in den Kiefernwald und suchten sich einen Platz zum Schlafen. Erstaunt und mit Abstand folgten ihnen die Jungen.

Eng aneinandergedrängt legten sich die Mädchen mit der Ziege auf die weichen Kiefernnadeln unter einen Baum. Sie falteten die Hände und beteten leise. Von fern sahen die Jungen ihnen zu. Etwas komisch Heißes stieg Ismael in die Augen.

Die Freunde kehrten zurück an den Steilhang. Stumm saßen sie dort, baumelten mit den Beinen und sahen hinaus aufs Meer.

Wie lange kannten sie sich eigentlich schon? Ismael dachte an die brennenden Baracken des Lagers und wie er irgendwo durch einen Zaun gekrochen und in den Wald gerannt war. Er hatte da auf seinen Vater gewartet. Aber der kam nicht. Lebte er überhaupt noch? Und dann hatte ihn plötzlich eine Hand zu Boden gerissen und sein Mund wurde zugehalten. Schüsse knallten und Wachposten liefen ganz dicht an ihm vorbei. Lange hatte Ismael wie erstarrt gelegen. Dann fühlte er langsam die Wärme, die vom schmalen Körper seines Retters ausging. Das war vor fast einem Jahr, seitdem waren sie unzertrennlich. Und nachts, wenn Ismael träumte und laut schrie, beruhigte der Ältere ihn wie damals.

Ambromow dachte daran, wie wenig sie von den Zwillingen wussten. Was mochten sie erlebt haben? Er holte eine Zigarette aus seiner Tasche, sorgfältig verwahrt in einer kleinen Schachtel. Die Jungen teilten sie sich wie Männer. Ein achtjähriger und ein zwölfjähriger Mann.

Am nächsten Morgen, als Ismael und die Mädchen erwachten, schwamm Ambromow bereits im Meer. Ein Wind war aufgekommen. Ambromow liebte die stürmischen Wellen. Etwas Neues, Wildes und Freies waren sie für ihn. Es schien ihm, als könnte er mit ihnen um die Wette schwimmen, sich mit ihrer Kraft messen.

Als er ans Ufer zurückkehrte, fand er am Strand eine angespülte Flasche. Kann man brauchen, um Wasser mitzunehmen, dachte er und hob sie auf. Sie war aber verschlossen und darin steckte ein Zettel. Ambromow entkorkte die Flasche und zog den Zettel heraus. Aber er konnte ihn nicht lesen. Er konnte überhaupt nicht lesen. Aber er sah, dass das keine kyrillischen Buchstaben waren, wie er sie von seiner Heimat her kannte. Er kletterte das Steilufer hinauf, ihrem Lagerplatz entgegen, und fragte sich, wer ihm wohl diese Flaschenpost geschickt habe, und was sie ihm sagen sollte. Denn dass sie an ihn gerichtet war, daran zweifelte er keinen Augenblick.

Die anderen drei staunten ebenfalls über seinen Fund. Alle redeten und gestikulierten durcheinander, ob es ein Hilferuf war, oder ein Hinweis auf etwas Gutes, was da in schöner Schrift auf dem Papier stand. Ambromow entschied, dass es ein Versprechen sei, etwas, das Glück bedeutete, eine Wegbeschreibung zu einem Schatz zum Beispiel oder eine Nachricht, dass jemand auf ihn warte und ihm schreibe, wohin er gehen solle. Er steckte den Zettel in seinen Brustbeutel.

So wanderten sie weiter, viele Tage, und ihre Gedanken wanderten mit ihnen, verirrten sich in der Vergangenheit und wussten auch in der Zukunft nicht weiter. Nur die Gegenwart war greifbar.

Die Mädchen schienen die Verstimmung vergessen zu haben. Sie alle verständigten sich mit Händen und Füßen und in einem Kauderwelsch aus Russisch und Lettisch. Die Mädchen wollten den Schutz der Jungen und die Jungen wollten das Essen der Mädchen, die Milch ihrer Ziege. Also blieben sie erst einmal zusammen.

Sie waren an eine Stelle gekommen, an der sich das Meer einen Graben gefressen hatte und sein Wasser in ein Binnenmeer ergoss: das Haff. Sie mussten also landeinwärts gehen, um es zu umrunden. Aber das wollten die Mädchen auf keinen Fall. „Wir bleiben am Meer, sonst verirren wir uns", sagte Aina bestimmt und setzte sich. Auch die Ziege ließ sich nieder.

Die Jungen waren sprachlos. Es war so unsinnig, von Verirren zu reden, wenn weit und breit kein bekannter Ort war. Doch nach einigem Nachdenken leuchtete den Jungen die Logik der Mädchen ein. Das Meer war ja tatsächlich ihr Wegweiser. Nur, wie über die Untiefe kommen, die das Meer sich hier gegraben hatte?

Sie brauchten nicht lange zu überlegen, denn ein Fischerboot kam in Sicht und legte am Ufer an. Ein alter Mann saß darin. Sofort stand Aina auf, ging zu ihm und fragte: „Können wir mitfahren?"

Der Fischer antwortete nicht, doch er schien sie zu verstehen. Mit seinen wasserhellen Augen sah er sie eine Weile an, musterte dann die Ziege und die anderen Kinder, sagte noch immer nichts, schüttelte schließlich verwundert den Kopf und nickte dann. Menschen, die am Wasser leben, reden nicht viel. Aber dieser Alte hatte es anscheinend ganz aufgegeben.

Während der ganzen Zeit, als sie mit einiger Mühe auch die Ziege mit Ziehen und Schieben und gut Zureden ins Boot verfrachtet hatten und übersetzten, sprach der Mann kein einziges Wort. Aber zum Abschied schenkte er ihnen vier kleine Fische, jedem einen, und sah ihnen eine Weile nach, bis sie in den Dünen verschwanden. Wer weiß, an was oder wen er dabei dachte.

Am Abend rasteten sie wieder in den Dünen. Ambromow machte Feuer, steckte die Fische auf Stöcke, und so wurden sie geröstet und gegessen. Putje hatte sich nach der ersten Seefahrt ihres Lebens wieder beruhigt und gab bereitwillig Milch. Es war ein warmer Abend. Sie schliefen in einem kleinen Erlenwald, von dem aus sie noch das Rauschen des Meeres hören konnten. Das hatte etwas Tröstliches.

Allmählich schien es Ambromow immer schwieriger, sich von den Mädchen zu trennen. Sie waren so voller Vertrauen und schienen von keinen Zweifeln geplagt, so wie er. Wohin wollten sie? Er musste sich sagen, dass sie das wohl ebenso wenig wussten wie er selbst. Deshalb brauchte er sie gar nicht erst zu fragen. Überleben allein wäre schon eine wunderbare Sache. Nicht verhungern, nicht erfrieren, nicht erschossen werden. Noch hatten sie etwas zu essen, und die Sonne schien. Noch war Sommer.

Lange Zeit begegneten sie keiner Menschenseele. Sie gingen weiter am Meer entlang, immer weiter und weiter. Aber langsam wurden die Rucksäcke der Mädchen leerer und leichter. Manchmal schenkte ein Fischer ihnen wieder ein paar kleine Fische. Die rösteten sie auf die gewohnte Weise an Stöcken. Ambromow konnte gut Feuer machen. Er hatte einen kleinen Dolch, mit dem er Späne zum Anzünden schnitzte. Ismael sammelte Holz und holte Wasser. Bisweilen bekamen sie auch ein Stück Brot oder Kartoffeln. Aber bleiben durften sie nirgends. Böse knurrten die Hunde vor den Fischerkaten, so als ob sie die Bettelkinder zum Weitergehen aufforderten. Die Menschen schauten weg und schwiegen.

Auch Ismael begann, sich an die Mädchen zu gewöhnen.

Manchmal lauschte er abends ihrem geflüsterten Beten. Er hätte es gerne verstanden. Ganz langsam erwachte in ihm so etwas wie eine Erinnerung. An eine Frauenstimme.

Seine Mutter? Auch sie hatte Gebete geflüstert. Er wusste aber kaum Worte. Keine Bilder standen ihm vor Augen, so sehr er sich auch mühte. Vielleicht manchmal ein Hauch von irgendeinem Duft, dessen Namen er nicht kannte. Wenn die Mädchen ihre Kopftücher abnahmen und sich gegenseitig kämmten und ihre Zöpfe neu flochten, dann kamen die Erinnerungen auch. Schwarzes, langes Haar, das vor einem schönen Spiegel gekämmt wurde. Liebe, weiße Hände, die ihn abends zudeckten. Aber wie war noch das Gesicht? … „Der Herr sei wie ein Schatten über deiner rechten Hand, dass dich des Tages die Sonne nicht steche, noch das Licht des Mondes bei Nacht …“, flüsterte die Stimme. Langsam, ganz langsam kamen die Erinnerungsfetzen. Seltsam, was die kleinen Mädchen mit den Jungen machten, obgleich sie doch gar nichts taten.

„Wie alt seid ihr eigentlich?“, fragte Ismael.

Die Zwillinge sahen sich an und zeigten sechs ihrer Finger.

„Ich bin, glaube ich, acht, nein zehn“, log Ismael mit betont tiefer Stimme. „Ambromow hat keinen Vornamen?“, fragte Daina.

„Weil er bei den Partisanen war, ein Grenzgänger“, sagte Ismael und erklärte auch gleich, was das war. „Einer, der hinter die feindlichen Linien geht und dort etwas herausfindet. Auf Kinder wird nicht so geachtet. Sie kommen leichter durch. Er war ein Kundschafter, ein Soldat. Die haben nur Nachnamen. Einmal wurde er gefangen genommen und von den Deutschen verhört, er konnte aber fliehen. Und ein anderes Mal traf ihn ein Granatsplitter. Der steckt immer noch in seiner Brust und hat sich da verkapselt." Schweigend hörten die Mädchen zu und machten nachdenkliche Gesichter. Verstanden sie ihn überhaupt? Dann sagte Daina unvermittelt: „Aber er ist doch auch ein Kind. Ambromow, wie heißt du wirklich?"

Aber der brummte nur: „Ach, lasst mich doch in Ruhe!"

Und immer blieb rechts das Meer, links die Dünen und dahinter das Haff. Es schien endlos. Obwohl sie schon lange nur noch einmal am Tag aßen und auch weiterhin hier und da Fische geschenkt bekamen, waren Brot und Speck nun völlig aufgebraucht. Einmal hatten sie in einem leer stehenden Haus übernachtet. Sie fanden ein bisschen Mehl und versuchten, daraus einen Brei zu kochen. So richtig gelang das nicht. Aber es machte satt. Sie hätten gerne gewusst, wie man Brot backt. Daina füllte das restliche Mehl in die Seitentasche ihres Rucksacks.

Schließlich hatte das Haff ein Ende und links von ihnen war wieder weites Land. Doch nach einigen Tagesmärschen stießen sie auf ein neues Haff. Wieder hatte das Meer sich einen breiten Graben ins Land gefressen und sich weithin ergossen. Wieder versuchten die Jungen, die Mädchen zum Umweg zu überreden. Aber die saßen nur stumm am Wegrand und rührten sich nicht.

Wie beim ersten Mal sahen sie schließlich etwas vom anderen Ufer übersetzen. Diesmal war es kein kleines Fischerboot, sondern ein Schiff, eine Fähre. Sie sahen ihr voller

Sehnsucht entgegen. Aber auf einmal wurde es laut hinter ihnen. Mehrere Militärfahrzeuge und zwei Panzer rollten mit viel Getöse heran. Es war zum Fürchten. Sie hatten einen roten Stern an den Seiten. Männer sprangen aus den Fahrzeugen, Soldaten. Die Mädchen wurden blass. Einer sah sie und kam zu ihnen.

„Was macht ihr denn hier?“, fragte er.

„Wir warten.“

„Auf was denn?“

Die Zwillinge zeigten aufs Wasser und sagten im Chor: „Wir wollen da rüber.“

Der Soldat musste lachen. „So, so. Da rüber. Und wohin?“

„Zur Großmutter.“

Der Soldat lachte wieder. „Die wartet wohl schon auf die Ziege?“

Ein zweiter Soldat kam dazu und sagte streng: „Für Zivilisten ist die Fähre verboten. Also verschwindet.“

„Ach, lass sie doch“, beschwichtigte der Erste. „Es sind doch nur Kinder. Ich hab zu Hause auch so Zwillinge wie die beiden.“

Und er hob erst Daina und dann Aina auf und trug sie in sein offenes Auto. Die Soldaten lachten und trieben Späße. Sie meckerten wie die Ziege und neckten die Mädchen. Ismael durfte sogar in einem der Panzer mitfahren, als der auf die Fähre ratterte. Ambromow führte die Ziege auf das Schiff. Die Männer sangen ein russisches Heimwehlied. Zum Abschied schenkte der nette Soldat den Mädchen einen harten Klumpen Zucker, etwas Seltenes. Man konnte ihn in kleine Stücke zerhacken.

„Grüße an die Babuschka."

Dann waren sie wieder allein am weiten Meer. Sie gingen nah ans Wasser und setzten sich stumm. Ismael stocherte im feuchten Sand herum. Daina zitterte.

„Ist doch alles gut gegangen", tröstete Aina. Aber ihre Stimme war nur ein Flüstern.

„Bloß eine Großmutter haben wir leider nicht", sagte Ambromow böse und spöttisch.

„Haben wir wohl!", schrie Daina und fing an zu weinen.

Bloß, wo war diese Großmutter? Niemand wusste es. Aina fing nun auch an zu weinen, und Ambromow war ganz elend zumute. Mit Geheule konnte er nichts anfangen. Aber eigentlich nur, weil ihm selbst zum Heulen war. Auch wenn wirklich alles gut gegangen war – er hatte früher ganz andere Erfahrungen mit Soldaten gemacht. Und sah er eine Uniform, egal welche, so ging es ihm schlecht … Erinnerungen überdecken die Gegenwart und lassen sie oft gefährlicher erscheinen, als sie ist. Die Mädchen schluchzten.

Ismael hatte etwas im Sand gefunden und kam damit zu Daina.

„Bisschen Honig", sagte er und hielt ihr die geschlossene Hand hin. Er lächelte. Daina sah auf und Ismael nickte ermunternd. Da machte Daina seine Faust auf. Darin lag ein gelber Stein, so groß wie eine Haselnuss, und leuchtete in der Nachmittagssonne. Daina nahm ihn. Ein Bernstein! Sie sah Ismael erstaunt und dankbar an. Aber er tat so, als sei es nichts Besonderes und setzte sich zu Ambromow. Gemeinsam rauchten sie die Zigarette, die einer der Soldaten im Panzer Ismael geschenkt hatte.

Später sammelten sie Gestrüpp in dem kleinen Wäldchen, durch das sie kamen. Beim Anzünden qualmte es ziemlich stark und wollte kein gutes Feuer geben. Aber schließlich gelang es doch, Glut zu erzeugen, und diesmal kochte Aina eine Klütersuppe aus Ziegenmilch, Zucker und dem schon etwas grau gewordenen Mehlrest. Sie schmeckte wunderbar, doch sie hatte einen Nachteil: Sie war viel zu schnell zu Ende.

Der Qualm hatte Aufmerksamkeit erregt. Ein Fischer kam mit seinem Hund und verjagte sie mit bösen Worten. Wollten sie ihm seinen Wald anzünden? Er fluchte fürchterlich.

So zogen sie wieder in die Dünen und fühlten sich elend. Gerade als sie sich zum Schlafen in eine Mulde gelegt hatten, kam ein alter Mann mit einem Eimer in der Hand vom Strand herauf. Auch ein Fischer. Er hätte die vier nicht bemerkt, wenn Putje ihn nicht mit ihrem Gemecker gerufen hätte. Er kam auf sie zu und musterte sie, diese Kinder und ihr seltsames Gepäck.

Schließlich sagte er: „Von hier seid ihr wohl nicht?“

Die Zwillinge schüttelten die Köpfe.

„Von weit weg?“

Die Zwillinge nickten.

Der Alte sah jetzt Ambromow an. „Und ihr wisst nicht, wo ihr hin sollt?“ Er sprach jetzt russisch.

Ambromow sagte: „Nach Westen.“

„Du sagst das so, als sei das ein Ort, den du kennst. Aber das ist nur eine Himmelsrichtung.“ Der Alte sah ihn mitleidig an. „Wie wollt ihr da hinkommen, über all die Grenzen. Und kennt ihr denn dort jemanden, der euch haben will? Seht mal hier, das ist ein Sperrgebiet. Alles hier auf der ganzen Nehrung ist voller sowjetischer Soldaten. Die wollen hier keine Fremden haben. Habt ihr denn noch keine Soldaten getroffen?“

Daina fragte: „Was ist Nehrung?“

„Die Landzunge hier.“

„Eine Zunge?“

„Ein Landstück, das wie eine Zunge aussieht. Rechts das Meer. Links die Dünen und dahinter das Frische Haff.“

Ismael erzählte von der Überfahrt mit den Militärfahrzeugen, und der Alte schüttelte ungläubig den Kopf. „Na, diese Soldaten sind den Krieg auch leid, wollen lieber bei ihrer Familie zu Hause sein. Ihr habt sie daran erinnert. Ja, so wird es sein. Aber wenn ihr hier weitergeht, wird es eine Grenze zu Polen geben und Soldaten, die Posten stehen. Die Soldaten dort werden nicht so nett sein. Nu ja, wenn ihr wollt, könnt ihr bei mir heute Nacht in der Hütte schlafen. Na kommt, kommt!“ Der Alte machte eine ungeduldige Handbewegung, wartete dann aber, bis sie aufgestanden waren und ihre Sachen genommen hatten. Er ging ihnen voran bis zu einer windschiefen Kate. Dort wurden sie von einem kleinen weißen Spitz begrüßt, der sie bellend umkreiste, als seien sie eine Herde Schafe. Schließlich lief er neben der Ziege einher, so, als kenne er sie schon lange. Der Alte brachte die Ziege in einen kleinen Stall, der lange kein Tier mehr gesehen hatte. Etwas Heu hing aber noch in der Raufe. Die Ziege fing sofort an zu fressen. Der Spitz betrachtete sie mit schief gelegtem Kopf, und den Kindern, die dabeistanden, wurde das Herz warm.

Die Kate hatte nur einen Raum. Ein Herd heizte zugleich einen großen grünen Kachelofen, auf dessen Bänken man es im Winter sicher schön warm hatte. Der alte Mann setzte einen Kessel Wasser auf den Herd, nachdem er sorgfältig das Feuer angefacht hatte. Als das Wasser kochte, tat er getrocknete Kräuter hinein. So bekamen die Kinder ihren ersten heißen Gutenachttee seit Wochen. Dann suchte sich jeder eine Stelle zum Schlafen. Aina und Daina krochen auf den Ofen, auf dem ein warmes Fell lag. Ambromow und Ismael schliefen auf der Ofenbank und der alte Mann mit dem Spitz in seinem Bett.

Ambromow konnte nicht viel schlafen. Ismael träumte etwas und schrie, und der alte Mann schnarchte laut. Ambromow machte sich Sorgen wegen der Grenze und der Soldaten. Er hatte sich vorgestellt, dass es hier am Meer gar keine Soldaten mehr geben würde, sondern nur die natürliche Grenze des Wassers, die niemand zu kontrollieren brauchte. Aber nun war alles ganz anders, und er hatte auch noch Ismael und die kleinen Mädchen am Hals. Warum eigentlich? Und sollten sie vielleicht überhaupt lieber hier bleiben?

Am Morgen stand er als Erster auf und machte Feuer im Herd. Er holte Wasser von der Pumpe vorm Haus. Während er den Schwengel betätigte, quietschte die Pumpe in den verschiedensten Tönen, so als wolle sie eine Geschichte erzählen.

Ob der alte Mann hier schon immer allein gewohnt hatte? Vielleicht hatte er auch einmal Frau und Kinder gehabt und sie waren im Krieg umgekommen? Dann war der alte Mann wohl sehr einsam geworden. Ambromow hörte plötzlich das Geplätscher des überlaufenden Eimers und erwachte aus seinen Gedanken. Er nahm den Eimer und kam ins Haus.

Der Alte war unterdessen ebenfalls aufgestanden. Er sah Ambromow anerkennend an, nahm den Eimer und goss Wasser in eine Schüssel. Er wusch die Fische vom Vortag, nahm sie aus, legte sie in eine Pfanne zum Braten und tat Thymian dazu. Ein angenehmer Geruch verbreitete sich. Davon erwachten die Zwillinge und kletterten vom Ofen. Der Alte stellte die Pfanne auf den Tisch. Wie gemalt lagen die Fische da, mit ihren glänzenden Schuppen und bläulichen Kiemen. Aber sie waren noch viel zu heiß, um sie zu essen. Alle warteten geduldig und sahen derweil den Schwalben zu, die am offenen Fenster vorbeiflitzten, ohne sich je zu stoßen. Dann endlich konnte sich jeder vom

Fisch nehmen. Das weiße Fleisch schmeckte so mild und fein. Und weil sie damit beschäftigt waren, die vielen Gräten herauszufischen, aßen sie sehr langsam, und das machte sie satt.

Der Alte schöpfte jedem einen Becher frisches Wasser.

„Fisch muss schwimmen“, sagte er. „Und übrigens: Wollt ihr nicht ein bisschen hierbleiben?“

Warum nicht?

Ambromow und Ismael gingen mit dem Alten zum Strand, fuhren mit dem Kahn ein Stück aufs Meer und fischten mit einer Schleppangel bis zum frühen Abend.

Die Ausbeute war nicht groß. Aber das Wetter war herrlich, die Luft roch nach Salzwasser, die Möwen kreischten, und die Jungen ließen sich zeigen, was ein Fischer und Angler können muss. Endlich hatten sie etwas Richtiges zu tun. Zwischendurch wurde der Alte müde und schlief ein. Die Jungen betrachteten ihn. Er sah krank aus und so, als wäre ihm kalt. Sie überlegten. Was sollten sie tun? Schließlich ruderten sie zum Strand zurück.

„Was soll das?“, schimpfte der Alte, als er vom Aufsetzen des Kahns geweckt wurde. Verwirrt sah er auf die Jungen. Was wollen die hier?, schien er sich zu fragen. Es dauerte eine Weile, bis er sich erinnerte. Dann lächelte er.

Aina und Daina hatten unterdessen die Ziege gemolken, den Stall ausgemistet, die Stube gekehrt, den Tisch geschrubbt und das Bettzeug des Alten in die Sonne gehängt. Sie taten alles, was sie ihre Mutter hatten tun sehen. Es ging nicht so schnell mit ihren kleinen Händen, aber es ging. Zwar schleifte das Bettzeug auf der Erde und der Fußboden unter dem geschrubbten Tisch blieb nass, doch keinen störte das. Die Mädchen waren auch in das Wäldchen hinterm Haus gegangen und hatten einen Strauß Rotdorn geschnitten. Den hatten sie in einer alten Blechdose auf die Fensterbank gestellt. Denn Blumen müssen sein, hatte ihre Mutter gesagt. Und sie wären gerne in dem windschiefen Häuschen geblieben. Sie hatten für den Spitz etwas Brot in Wasser eingeweicht und ein wenig Milch dazugetan. Der Spitz war begeistert und fraß alles „auf einen Rutsch", wie sie sagten. Schließlich setzten sich die Mädchen auf die windschiefe Bank vor dem windschiefen Häuschen und warteten auf „die Männer". Endlich kamen sie zurück.

Der Alte brachte sein verstaubtes Bettzeug wieder hinein und wischte die Nässe unterm Tisch auf. „Na ja", sagte er nur. „Na ja." Und lächelte vor sich hin.

Dann kochte er Fischsuppe, damit der magere Fang für alle reichte. Im Garten hinter dem Haus gab es noch Rosenkohl vom Winter. Den tat er auch mit in die Suppe. Andächtig saßen alle da und schauten zu. Geredet wurde nicht viel. Aber alle wurden einigermaßen satt. Und als es dämmerte, legten sie sich schlafen.

Am nächsten Morgen beklagte der Alte sorgenvoll, dass sie einfach nicht genug zu essen hatten, aber er wollte die Kinder auch nicht fortschicken. Aina meinte, dass sie ja die Milch noch hätten von dreimal Melken und im Schrank sei noch Hirse. So könnte sie für heute doch Hirsebrei kochen. Der Alte fand das gut und machte Feuer für die kleine Köchin.

„Aber nicht anbrennen lassen!“, rief Ismael und die Mädchen warfen ihm böse Blicke zu.

„Das wäre nicht so schlimm“, bemerkte der Alte und erzählte die Geschichte vom Gewürz der Seligen.

„Einem Mann war seine Frau gestorben, und da hatte er eine andere geheiratet. Ihm schmeckte aber nie, was sie kochte.

‚Was fehlt denn?‘, fragte die Frau.

‚Na, das Gewürz.‘

‚Was denn für ein Gewürz?‘

‚Das Gewürz der Seligen.‘

Die Selige, das war seine gestorbene Frau. Er konnte aber nicht sagen, wie das Gewürz hieß.

Eines Tages hatte es die neue Frau sehr eilig, war mit ihren Gedanken schon bei der Schneiderin, zu der sie gehen wollte, und ließ das Essen anbrennen. ‚Jetzt wird er wahrscheinlich sehr böse sein‘, dachte sie. Aber der Mann, während er aß, rief ganz begeistert aus: ‚Endlich hast du es gefunden. Das ist das Gewürz der Seligen.‘“

Na ja, jetzt gab es Hirsebrei ohne das „Gewürz der Seligen“, aber mit viel Ziegenmilch, und das machte sie alle fast für den ganzen Tag satt.

So verging die Zeit.

Einmal sagte der Alte: „Ich bin heute so müde. Fahrt ihr Jungen doch mal allein hinaus aufs Wasser."

Die Jungen stiegen ins Boot, fischten den halben Tag und fingen erstaunlich viel. Da kehrten sie um. Als sie wieder zum Haus kamen, sahen sie den alten Mann mit den beiden Mädchen auf der Bank in der Sonne sitzen. Er atmete schwer, seine Hand lag auf seinem Herzen. Aber er schaute ganz freundlich zu, wie Aina einen Blumenkranz für die Ziege flocht, die neben ihnen weidete.

Die Jungen hörten, die drei redeten in der Ziegensprache. Ein wenig verstanden sie inzwischen davon.

„Seit wann seid ihr denn schon unterwegs, ihr und die Ziege?", fragte der Alte.

„Seit die russischen Soldaten gekommen sind und alle weggeholt haben, die am Meer wohnten, von unserm Hof und vom Nachbarhof und von überall, alle Familien. Sie haben sie in den Zug gebracht und dann nach Sibirien, hat der Junge vom Nachbarhof gesagt."

„Weil sie die Meeresgrenze dicht machen wollten." Der Alte nickte. „Und ihr?"

„Wir waren gerade bei Putje im Stall und als es das Geschrei gab, haben wir uns im Heu versteckt. Wir haben gehört, wie Mama sagte: ‚Nein, wir haben keine Kinder.' Da haben wir uns noch gewundert. Aber dann wussten wir, dass sie nicht wollte, dass wir mitmussten. Sie dachte vielleicht, dass jemand kommt und uns hilft. Aber es kam niemand. Auch die Großmutter nicht. Alle waren sie weg und unser Hof liegt ganz einsam. Und irgendwann sind wir mit Putje losgegangen, weil wir dachten, wir finden jemanden. Und wir haben ja auch jemanden gefunden, die Jungen. Seitdem gehen wir immer zusammen, bis wir dorthin kommen, wo es so schön ist, weit im Westen, wie es die Jungen sagen. Später finden uns dann unsere Eltern dort und dann wird alles gut."

Aina erzählte noch eine ganze Weile weiter, weil sie froh war, dass sie es endlich einmal erzählen konnte. Die Jungen hatten noch nie danach gefragt. Der Alte sagte nichts mehr. Er saß da und schlief. Er wachte auch später nicht auf und auch nicht, um ins Bett zu gehen. Er würde nie wieder aufwachen!

Das traf die vier wie ein Blitzschlag. Sie konnten gar nichts denken, so erschrocken waren sie. Sie wussten, es war unsinnig, und doch waren sie böse auf den Alten, dass er sie im Stich gelassen hatte und einfach gestorben war. Sie fürchteten sich. Was sollten sie tun? Panik erfasste sie. Sie nahmen alles, was essbar war, und liefen einfach fort, ganz weit, bis sie vor Müdigkeit nicht mehr weiterkonnten und Putje anfing zu meckern, weil sie gemolken werden wollte.

„Er war so nett", sagte Aina. „Warum musste er gerade jetzt sterben?"

„Vielleicht wollte er in den Himmel", erwiderte Daina. „Er war schon sehr, sehr alt."

Am Strand war ein Mann zu sehen. Er hantierte mit seinen Netzen. Aina stand auf und ging zu ihm. „Dort hinten ist wer gestorben", sagte sie und zeigte in die Richtung, aus der sie gekommen waren.

Der Mann schaute auf und nickte.

„Ich sehe nach", antwortete er und wandte sich wieder seinen Netzen zu.

Ambromow musste immer daran denken, was der Alte über die polnische Grenze gesagt hatte, die jetzt bald kommen würde. Wie sollten sie da durchkommen? Etwas hilflos versuchte er, es den andern zu erklären. „… und morgen nicht singen und nicht meckern, verstanden?" Ismael schlug sich an die Stirn. Wie sollte das gehen?

Langsam zogen sie weiter.

Und dann sahen sie schließlich den Wachtturm am Ufer und den Stacheldraht, der sich weit ins Meer hineinzog. Sie gingen in die Dünen, übernachteten dort und fanden im Morgengrauen ein Loch im Zaun. Sie vergrößerten es vorsichtig, damit auch die Ziege hindurchschlüpfen konnte. Es schien alles gut zu gehen. Aber dann schrie plötzlich jemand: „Stoi tam!" Ambromow riss Ismael zu Boden, die Mädchen rannten mit der Ziege ins nächste Gebüsch.

Bald standen zwei polnische Soldaten über den Jungen. Sie schienen riesig.

„Aufstehen! Hände über den Kopf! Papiere? Wo kommt ihr her, was macht ihr hier?"

Die Fragen prasselten auf sie herunter, und als klar wurde, dass sie nicht verstanden wurden, wiederholten die Soldaten alles noch mal in gebrochenem Russisch. Aber auch das half nicht viel. Es gab keine Antworten.

„Ein Spion!", sagte einer der beiden Soldaten und deutete mit dem Gewehr auf Ambromow, der viel älter aussah, als er war.

„Hände auf den Rücken!", befahl der andere Soldat. Und er fesselte Ambromow und stieß ihn unsanft mit dem Gewehrkolben. Den kleinen Ismael ließen sie stehen.

Ambromow sah seinen sicheren Tod vor Augen. Er wusste, was man mit Spionen machte. Der kalte Schweiß brach ihm aus. Ihm wurde schwarz vor Augen und er dachte nur: Hoffentlich schaffen es Ismael und die Mädchen ohne mich. Hoffentlich halten sich die beiden versteckt … Aber da hörte man aus dem Hintergrund ein Meckern. Alle sahen sich um. Aus dem Gebüsch trat ein kleines Mädchen mit buntem Kopftuch. Am Strick führte es eine Ziege. Es ging ganz einfach auf einen der Soldaten zu, sah ihn geradeheraus an und sagte: „Du Ziege, ich Junge!"

Einen Moment lang waren alle sprachlos. Dann fingen die Soldaten schallend an zu lachen. Sie lachten und lachten.

„Was für ein Frauchen! Weiß sich einen Mann zu besorgen!", rief der eine. Und der andere sagte: „Nicht der schlechteste Tausch!" Er band Ambromows Hände wieder los und gab ihm einen Schubs in Ainas Richtung. Der andere hatte unterdessen die Ziege am Strick genommen. Immer noch lachend riefen sie: „Haut ab! Und zu keinem ein Wort!"

Die drei rannten ins Gebüsch, wo Daina wartete, und dann weiter und immer weiter in einen Wald hinein, bis ihnen die Luft wie Feuer in Hals und Lunge brannte.

Hatten die Soldaten ganz vergessen, dass sie auch beide hätten behalten können, Ambromow und die Ziege? Und würde es ihnen jetzt womöglich noch einfallen und sie kämen hinter ihnen her? Aber niemand kam. Völlig erschöpft ließen sie sich auf den Boden fallen. Als einziges Geräusch hörten sie wie wild ihre Herzen schlagen.

Nach einer Ewigkeit stand Ambromow auf. Der halbe Waldboden hing noch an seiner schäbigen Joppe. Er ging zu den Mädchen, gab jeder feierlich die Hand und sagte: „Ich danke euch, dass ihr mir das Leben gerettet habt." Aina und Daina sahen erstaunt auf, lächelten, hoben ihre mageren Schultern und sagten: „Das war wohl Gottchen. Und natürlich Putje." Und nun, als sie an die Ziege dachten, wurden sie traurig, und ihre Gesichter sahen wie die von kleinen alten Zwergenfrauen aus. Aber sonst war es ein gutes Ende, wie im Märchen eigentlich.

Nur Ismael stand dabei und fühlte sich irgendwie verlassen. War er wirklich so klein und unbedeutend, dass die Soldaten ihn einfach stehen ließen? Und die Heldentat von Aina hatte ja auch nur Ambromow gegolten. Jetzt waren die beiden irgendwie verwandt. So ist das nämlich, wenn einer dem andern das Leben rettet. Und er, Ismael? Galt er nichts? Traurig starrte er in die Baumwipfel.

Da fühlte er, wie sich eine kleine Hand in seine Hand

schob. Weiter geschah nichts. Nur dass sein Herz jetzt nicht mehr ganz so schmerzte. Der feine Ziegengeruch, der noch in Dainas Jacke hing, stieg zu ihm auf.

Weiter ging es am Meer entlang. Ambromow träumte zwar immer vom Frieden, doch eigentlich glaubte er nicht mehr, dass es solch einen Ort auf dieser Welt noch gäbe. Für ihn hatte es immer nur Not und Bedrohung gegeben, so schien es ihm. Am Leben zu bleiben, war ein schwieriges, nie endendes Spiel, das er bisher gewonnen hatte. Nicht immer mit den besten Mitteln. Aus ihm konnte ein harter und böser Mensch werden. Aber da war noch etwas. Ganz tief in seinem Innern gab es etwas, das ihn daran hinderte: Ein Bild, verschwommen, so als schaue man in einem dunklen Zimmer auf das hereinfallende Licht. Und da, weit vorn am Fenster, saß eine helle Gestalt. Sonst nichts. Aber solange diese helle Gestalt dort saß, war es irgendwie, als hielte sie ihn, warm und sanft. Es war nur ein Gefühl. Ambromow hatte keine Worte dafür. Und so verschwand dieses Bild und dieses Gefühl, das keinen Namen hatte, immer wieder, unverhofft, wie es aufgetaucht war, und hinterließ Tränen, die aber nur selten und im Verborgenen geweint wurden.

Schließlich kamen die vier an einen breiten Fluss. Um ihn zu überqueren, mussten sie ihre heimlichen Pfade verlassen. Denn nur die große Straße führte zu einer Brücke. Diese Straße war überfüllt mit Menschen und Pferdewagen, die alle verzweifelt einem Ziel zustrebten. Das Ziel war eine große Stadt, oder besser, es war einmal eine große Stadt gewesen, jetzt aber, zur Bestürzung all der Menschen, die hierher unterwegs waren, bestand diese Stadt hauptsächlich aus Steinhaufen und eingestürzten Mauern. Nur hier und da sahen die vier Kinder von ihrer Seite des Flusses noch einige Häuser, so groß wie Berge oder Riesen. Noch nie hatten sie so etwas gesehen.

Niemand kümmerte sich um sie. Sie wurden einfach im Gedränge über die Brücke geschoben, der Stadt entgegen. Und dann traten sie durch ein großes, halb eingestürztes Steintor in diese grauschwarze riesige Steinhalde. Wozu ein Tor, wenn es dahinter so aussah? Menschen liefen durch die zerstörte Stadt. Einige waren dabei, Steine auf Haufen zu sortieren. Andere eilten durch Straßen und über Plätze, als suchten sie etwas Verlorenes, das sie doch nicht finden konnten. Wieder andere stocherten im Schutt herum, in Ruinen, die aussahen wie das Innere eines Körpers, nicht für das Tageslicht bestimmt. Wie konnte man in so einer Stadt überleben?

Die Stadt

In dieser Stadt und zu dieser Zeit stand ein Mädchen, ungefähr so alt wie die wandernden Kinder, auf einem Platz, der einmal ein prächtiger Markt gewesen war.

„Wenn du da noch lange stehst, wirst du festwachsen", sagte die Kräuterfrau zu dem Mädchen. „Ebenso gut kannst du mir ein paar Tüten falten." Das Mädchen Ludka nickte. Die Frau schob ihr Zeitungspapier hin und zeigte ihr, wie man kleine Tüten faltet, hin und her und so herum, dass sie auch ohne Leim hielten. Ludka war geschickt und hatte es bald heraus. Die Frau kramte in ihren Kräutern, die sie verkaufte. Es sah etwas merkwürdig aus, dieses lebendige Grün zwischen schwarzen Ruinen. Aber das Leben musste weitergehen.

„Jetzt kannst du Kümmel einfüllen. Immer zwei Teelöffel. Kümmel kann man für vieles brauchen, für Kartoffeln und Kohl. Zu Lamm, Schwein und Gans natürlich auch. Aber wer hat das heute schon?" Die Frau lachte bitter.

„Die Leute sind froh, wenn sie Kümmel haben, wo es so wenig Salz gibt. Außerdem vertreibt er die bösen Geister." Sie lachte wieder, diesmal klang es fröhlich. „Aber hauptsächlich vertreibt er die Pupse. Das können ja auch ganz schön böse Geister sein." Ludka verstand nur die Hälfte, denn ihre Gedanken waren woanders. Sie betrachtete die rundliche Kräuterfrau in ihrer Kittelschürze, dem Kopftuch und den schweren Schuhen. So sah ihre Mutter auch aus. Sahen nicht alle Frauen ähnlich aus? Warum mussten dann die einen hier, die andern da wohnen und durften nicht bleiben, wo sie wollten?

„Was kostet denn der Kümmel?“, fragte jetzt eine Kundin mit Einkaufskorb.

„Fünf Groschen“, sagte die Kräuterfrau.

„Da ist aber wenig drin.“

„Dann nehmen Sie doch zwei. Und wie wär's mit etwas Löwenzahnsalat? Ganz frisch und jung.“ Und der Handel kam zustande.

„Ist das ihre Tochter?“, fragte die Kundin.

Beide Frauen sahen Ludka prüfend an: ein semmelblonder Zopf, etwas verwuschelt, wasserblaue ängstliche und zugleich willensstarke Augen über einem Heer von Sommersprossen, die sich unaufhaltsam über Stupsnase und Wangen ausbreiteten. Ein Kirschenmund. Aber alles ein bisschen verschmiert vom vielen Weinen.

„Etwas Seife könnte nicht schaden …“ Schnippisch nahm die Kundin ihren Korb und ging.

Ludka war rot geworden und schaute zu Boden.

„Tja, wo du hingehörst, weißt du wahrscheinlich nicht“, sagte die Kräuterfrau. „Hast du denn noch Eltern?“

Das Mädchen nickte. „Aber ich habe sie verloren.“

„Wo hast du sie denn verloren?“

Ludka deutete mit dem Kopf in die Richtung des Flusses.

„Jeden Tag gehe ich an die Brücke, aber sie kommen nicht."

„Wo sollen sie denn herkommen?"

„Von daheim."

„Und wo war das?"

„Hinterm Bug. Wir Polen dürfen da nicht mehr wohnen, da ist jetzt Russland. Wir müssen jetzt hier wohnen." Und mit Blick auf die Kräuterfrau: „Bei den Deutschen."

„Bei den Deutschen? Aber hier gibt es kaum noch Deutsche. Auch wir dürfen hier nicht mehr wohnen. Ich bin bloß übrig geblieben, hier in der einmal so schönen Stadt Danzig." Sie sah sich um, und wieder lachte sie ihr bitteres Lachen. „Das glaubt ja keiner, wie das hier jetzt aussieht. – So, und nun füll mal Kamillenblüten in die Tütchen. Bisschen mehr. Die sind gut bei Bauchweh und Fieber, auch bei Erkältung. Und wachsen überall. Auch auf Schuttbergen und in Ruinen. Ja, ja. Die scheren sich nicht um die Menschen und ihren Blödsinn." Durch ihr Reden versuchte die Frau Ludka aufzumuntern. Wo mochte das Kind in all den Tagen genächtigt haben? „Ich geh jetzt mal schnell und hole ein Brot, wenn ich eins kriege. Du passt so lange auf meinen Stand auf, ja?"

Sie ging, und Ludka spielte Kräuterfrau. Sie hatte zwei Hände voll Löwenzahn verkauft, drei Tütchen mit Kümmel und eins mit Kamille, als die Kräuterfrau zurückkam.

„Dich kann man brauchen", sagte sie erfreut. „Jetzt füllen wir gleich Raute, Melisse und Salbei in die Tüten. Ich habe alles über Sonntag getrocknet. Aber erst essen wir was." Sie fing an, das kleine Mädchen zu mögen, das überhaupt drei Sprachen sprach, wie es erzählte. Polnisch sowieso und Russisch hatte es von der einen und Deutsch von der anderen Großmutter gelernt. Und doch sah das Mädchen jetzt so hilflos und verloren aus.

Die beiden setzten sich auf die Bank hinter den Kräutertisch und aßen vom Brot. Und wie sie da so saßen, sahen sie eine kleine geöffnete Hand über den Tisch hinstreichen. Nur die kleine, nach oben geöffnete Hand. Sonst nichts. Die Kräuterfrau lächelte. Sie legte ein Stückchen Brot in die Hand. Und die Hand verschwand. Nach einer Weile tauchten zwei Hände auf. Zwei kleine linke Händchen. Die Kräuterfrau staunte. Sie stand auf und beugte sich vor.

„Erbarmung! Ihr werdet ja immer winziger, ihr Bettelvolk. Und jetzt gibt's euch sogar schon doppelt."

Auch Ludka war aufgestanden. Sie sah zwei Mädchen, die jetzt drei Stückchen Brot hatten, dankend mit dem Kopf nickten und zu zwei Jungen hinrannten, denen sie jedem ein Stück gaben.

„Halt, halt", schrie da die resolute Kräuterfrau und lief hinüber. Sie wandte sich an den größeren der Jungen: „So ist es also! Die Kleinen müssen betteln und den Jungs das Brot geben? Aber so nicht, mein Lieber." Und sie haute Ambromow eine runter, die sich gewaschen hatte. Das Brot fiel zu Boden. Die Zwillinge fingen laut an zu weinen, und der zweite Junge überschlug sich mit Erklärungen. Ambromow wollte wegrennen, aber die Kräuterfrau hielt ihn fest.

„Der da ist ihr großer Wolfsbruder“, übersetzte da Ludka die Worte von Ismael. Die Kräuterfrau hielt inne und betrachtete die zerlumpten Kinder.

„Mein Gott, mein Gott“, sagte sie kopfschüttelnd, als sie begriff. „Es ist ein Verbrechen.“ Sie überlegte kurz. „Na, kommt mal mit.“

Sie gab ihnen noch mehr vom frischen Brot. Geduldig saßen die Bettelkinder dann am Rand des Marktes und warteten, bis die Kräuterfrau ihre Kiepe packte. „Gehst du jetzt nach Hause?“, fragte eines der Zwillingsmädchen. „Nach Hause ist gut“, sagte die Frau. „Mit Haus ist da nicht mehr viel. Aber, na ja.“

Ludka half ihr einpacken. Da dachten alle vier noch, sie sei die Tochter der Frau. Erst später erfuhren sie, dass auch Ludka ein verlorenes Kind war, ein Bauernkind aus dem einstigen Ostpolen.

Nach einer halben Stunde Fußweg kamen sie zu einer Ruine an der Stadtmauer. Hier musste es einmal schön gewesen sein. Ein paar grüne Bäume und ein kleines Rasenstück hatten Krieg und Beschuss überdauert. Innerhalb der Ruine, in der früheren Wohnung zu ebener Erde, gelehnt an eine der brüchigen Mauern, war eine kleine, wackelige Wand aufgeschichtet und mit einem Wellblech abgedeckt. Ein Häuschen im Haus. Darin stand, o Wunder, ein richtiges Bett und ein Tisch, ein Regal aus Kisten und ein Klavierstuhl. An einem Balken hingen viele Säckchen und Kräutersträuße. Und es gab einen kleinen, blechernen

Herd, dessen Abzugsrohr sich durch das Kämmerchen wand, bis es in dem Schornstein des Hauses endete. Der Schornstein war erstaunlicherweise stehen geblieben und ragte in den Abendhimmel. Mit einer Kette verschloss die Kräuterfrau die Tür, die einmal eine Wohnungstür gewesen war. Kürbisse wuchsen im ehemaligen Wohnzimmer, und Bohnen, Kartoffeln und Zwiebeln fühlten sich in den übrigen Zimmern wohl.

Dann saßen sie alle auf dem einzigen Bett der Kräuterfrau – „Hampelt nicht, sonst bricht es zusammen!" – und schauten ihr zu: Wie sie Feuer machte, wie sie aus der Regentonne Wasser schöpfte, wie sie einen Topf auf den Herd stellte und eine Erbsensuppe kochte. Ganz still saßen die Kinder da und saugten all die Gerüche in sich ein, fühlten die weiche Bettdecke unter sich und bedachten, dass niemand kommen und sie hier wegjagen konnte, weil ja ein Schloss vor der Tür war. Langsam kochte die Suppe. „Etwas dumm ist, dass ich nicht so viele Löffel habe", sagte die Kräuterfrau. Drei aßen mit Löffeln aus dem Topf und drei tranken die Suppe aus Blechbüchsen.

„Vor hundert Jahren gab es mal so eine gute Erbsensuppe", schwärmte Aina, das Zwillingsmädchen. Die andern lachten, bis auf Daina, sie blieb ernst. „Und Mama hat sie gekocht", sagte sie leise. Es wurde einen Augenblick still. Aber die Wärme und das Gefühl, nicht mehr hungrig zu sein, waren stärker als die Trauer.

„Guter Herd", sagte Ambromow bewundernd. „Wenig Holz?" Er zeigte auf den Herd und machte die Bewegung des Holznachlegens. Die Kräuterfrau sah belustigt zu ihm hin und nickte.

Dann redeten alle durcheinander, und mittendrin schliefen sie ein, sanken kreuz und quer aufs Bett, neben- und übereinander.

Die Kräuterfrau saß auf einer Kiste neben dem Herd mit ihrer Katze auf dem Schoß. Sie streichelte das Tier und sah mitleidig auf die heimatlosen Kinder.

„Erbarmung", murmelte sie wie vorhin auf dem Markt. „Was für ein Schicksal!" Dann nickte auch sie ein. Einmal wurde sie wach, weil eines der Kinder laut schrie. Dann dämmerte sie wieder in einen leichten Schlaf hinüber. Alles war nun still. Und der Mond wachte wie immer über Gute und Böse. Es sah so aus, als würde er die Stirn runzeln, hoch über der armen schwarzen Stadt und ihren Menschen.

Der Geruch von gebratenen Kartoffeln weckte die Kinder. Ambromow wollte aufstehen, fiel aber der Länge nach hin. „Verflucht, mein Bein ist eingeschlafen."

„Faules Stück, dein Bein!", sagte Ismael, der das Fußende des Bettes quer für sich erobert hatte. Immer noch hielt die Fröhlichkeit vom Vorabend an.

„Nun aber raus", rief die Kräuterfrau. „Wascht euch mal Gesicht und Hände." Sie zeigte nach draußen. Dort stand eine Waschschüssel und daneben lag eine Kostbarkeit: ein Stück Seife. Nach dem Waschen waren die Hände hell, aber gleich überm Handgelenk gab es „die schwarze Grenze". Ismael zeigte sie lachend, doch Aina und Daina war es peinlich. Allerdings – viel wichtiger war es, dass nun die Kräuterfrau mit der Pfanne kam.

„Fett habe ich keins“, sagte sie. „Aber mit Zwiebelsaft kann man auch braten. Außerdem brauchen wir für die Kartoffeln keine Löffel.“ „Was sagt sie?“, fragte Ambromow.

Jeder bekam zwei warme halbe Kümmelkartoffeln und eine Zwiebelscheibe. Vorsichtig nahm jedes der Kinder beides in die Hände, wie einen großen Schatz.

Ludka sagte: „Kümmel ist gut gegen böse Geister. Und gegen das Pupsen.“ Alle lachten.

„Das ist auch nötig“, ergänzte die Kräuterfrau. „Heute Nacht hat es ja fast das Dach abgehoben, nach der Erbsensuppe.“

Wieder lachten alle.

Daina hielt ihre warmen Kartoffelstücke erst eine Weile an ihre Wange, ehe sie eines davon langsam aß. Ismael beobachtete sie. Gleich wird sie wieder anfangen zu weinen, dachte er. Seit sie in dem Wald an der Grenze ihre kleine Hand in seine gesteckt hatte, verband sie beide etwas. Ismael hätte nicht sagen können, was es genau war … Jedenfalls schien es, als würde der eine immer ganz schnell mitbekommen, wie es dem andern ging. Ismael war ein schneller Esser. Was man hat, das hat man. Daina sah ihm zu. Plötzlich streckte sie die Hand aus. Sie wollte ihm die zweite Hälfte ihrer Kartoffel schenken. Was sollte er machen? Einfach essen, entschied er. Daina lächelte. Die Kräuterfrau beobachtete es mit Rührung. Sie trug schnell die Pfanne in die Hütte, damit die Kinder ihre Tränen nicht sahen.

Langsam begann die Frau nun, ihre Kräuter und etwas von ihrem Gemüse zusammenzupacken, Bohnen und Zwiebeln. Sie musste wieder auf den Markt. Die Kinder begleiteten sie und halfen ihr tragen. Es machte ihnen Spaß, und sie breiteten Gemüse und Kräuter auf dem Tisch aus. Als das getan war, und die Kräuterfrau schon eifrig verkaufte, schlenderten sie über den Marktplatz und von dort über eine Brücke zum Hafen. Wie die Spatzen auf dem Telegrafendraht saßen sie dann auf der Kaimauer und ließen die Beine baumeln.

Ludka hatte einen Moment gezögert. Es sah aus, als wolle sie bei der Kräuterfrau bleiben. Aber dann war es für sie verlockender gewesen, bei den anderen Kindern zu sein, und sie war einfach mitgegangen. Jetzt saß sie dicht neben Ambromow. Verstohlen sah sie den Älteren an. Er gefiel ihr.

Eine Weile schauten alle auf das Wasser.

„Was machen wir jetzt?", fragte Ismael dann.

„Können wir nicht bei der netten Frau bleiben?", fragte Daina. Aber da war ja nicht gerade viel Platz, und die Kräuterfrau hatte auch nichts dergleichen gesagt.

„Ich habe eine Tante in Warschau. Die hat einen Kuchenladen am Altstädter Markt", sagte Ludka nach einer Weile. Es klang ganz beiläufig.

„Das sagst du jetzt erst? Nichts wie hin! Alle Tage Kuchen! Das wäre was für mich", rief Ismael.

„Nichts wie hin, nichts wie hin! Wie denn?", spottete Ambromow. Wollte dieses Mädchen neben ihm sich wichtig tun? Und er dachte auch: Wer weiß, ob es den Laden überhaupt noch gibt?

„Ich habe gesehen, dass ein Schleppkahn nach Warschau fährt, auf der Weichsel. Immer donnerstags“, fing jetzt Ludka wieder an.

„Donnerstags, donnerstags. Wann ist donnerstags?“

Warum war Ambromow nur so ärgerlich?

„Na donnerstags ist, wenn der Schleppkahn fährt.“

Ambromow wandte sich ab. Kann man sich überhaupt je mit einem Mädchen vernünftig unterhalten?, schien er zu denken.

„Dann sitzen wir eben hier, bis donnerstags ist.“ Aina schien das nicht zu stören. Dazu brauchte Ambromow gar nichts zu sagen, denn in dem Augenblick kam ein Hafenarbeiter und jagte sie von der Mauer. „Verrücktes Pack, verrücktes. Wollen ersaufen, und ich bin dann schuld.“

Die Kinder schlenderten jetzt am Verladeplatz entlang.

„Wo ist eigentlich Warschau, im Westen, am Meer?“, fragte Aina.

„Nee, den Fluss runter.“

„Da wollen wir doch überhaupt nicht hin“, sagte Ambromow abweisend. Aber Ismael fiel ihm ins Wort. „Besser *jetzt* Kuchen, als im Westen wer weiß wann.“ Das klang vernünftig.

„Ich glaube, heute ist donnerstags“, fing Ludka wieder an und deutete auf einen Schleppkahn, auf den gerade Kisten mit grünen Frühäpfeln verladen wurden. Die Kinder starrten die Äpfel an. Und die Männer, die die Kisten verluden.

„Und wie sollen wir da raufkommen? Donnerstags?“, fragte Ambromow höhnisch. Ludka sah ihn beleidigt an.

„Brauchst ja nicht mitkommen, wenn du nicht willst! Aber wenn sie die Planen festgezurrt haben, gehen sie immer noch einen trinken. Da kann man leicht aufs Schiff und dort unterkriechen.“ Ludka musste den Hafen schon lange beobachtet haben.

„Ich will lieber wieder zur Kräuterfrau“, heulte Daina.

Jetzt mischte Ismael sich ein. „Das geht nicht, entweder alle können bei ihr wohnen oder keiner“, meinte er. „Wir müssen zusammenbleiben. Und du, Ludka, gehörst jetzt auch zu uns, mit deiner Kuchentante.“ Ismael hatte ein gutes Gefühl bei dem, was er sagte. Ein Kuchengefühl! Es gab ein Ziel.

Mit zwei Broten unterm Arm sahen sie schließlich die Kräuterfrau auf sich zukommen.

„Ach, hier seid ihr! Ich wollte mal sehen, was ihr macht. In meinem Bett will ich heute wieder selbst schlafen. Aber ihr könntet ein paar Tage im Garten, ich meine, in den Zimmern …“ Daina ergriff flehentlich ihre Hand, ließ sie dann aber wieder los, als Ismael sagte: „Donnerstags fahren wir zu einem Kuchenladen nach Warschau.“

„Aber heute ist Donnerstag!“ Die Kräuterfrau schüttelte verwundert den Kopf. „Und wie wollt ihr da hinkommen?“

Da erzählte Ludka ihr, was sie zuvor den anderen erzählt hatte, und deutete auf den Schleppkahn. Eben verließen die Männer den Schlepper und gingen Richtung Kneipe. Sie sahen nicht sehr vertrauenerweckend aus.

„Wollt ihr das wirklich machen?“, fragte die Kräuterfrau.

Aber dann gab sie Ludka und Ambromow je ein Brot und eine Tüte Löwenzahn und wünschte allen Glück. Eine Tante sei ja immer gut. Und eine mit Bäckerladen noch viel besser.

„Ich würde euch gerne dabehalten. Aber wahrscheinlich darf ich selbst nicht bleiben", sagte sie, und Tränen traten ihr in die Augen. „Alle Deutschen müssen weg aus Danzig; ich bin eine von den Letzten. Das alles hier ist jetzt Polen." Sie beobachtete noch, wie die Kinder über den Steg balancierten und unter der Persenning, der Plane des Schleppkahns, verschwanden.

Der Fluss

Sie lagen ganz still zwischen den Apfelkisten und hatten das Brot unter sich aufgeteilt. Jetzt knabberte jeder an seinem Stück herum. Leise gluckerte die Weichsel und wiegte den Kahn auf und ab. Beruhigend knarrte das alte Holz. Da schliefen sie ein. Nur Ambromow blieb noch wach. Wenn Ismael im Schlaf schrie, wollte er ihn beruhigen, damit die Schiffsbesatzung ihn nicht hörte. Er kroch ganz nah an ihn heran. Ismael atmete leise und gleichmäßig. Schließlich wiegte der Fluss auch den Ältesten in den Schlaf.

Als sie erwachten, hörten sie das Tuckern des Schleppers vorn. Licht drang durch den Spalt zwischen Kahn und Persenning.

„Wie lange dauert es denn bis zur Bäckerei?“, fragte Ismael und Ambromow wurde schlagartig bewusst, dass er den Kleinen gar nicht hatte schreien hören. Hatte er, Ambromow, zu fest geschlafen? Hatte wirklich niemand etwas gehört? Er machte sich Sorgen, fand aber heraus, dass die Besatzung tatsächlich nur weiter vorne auf dem Schlepper war, mit dem Lastkahn durch eine feste Stange verbunden. Hier waren sie allein. Er atmete auf.

„Ich weiß doch auch nicht, wie lange wir nach Warschau

fahren“, flüsterte Ludka. „Aber es dauert bestimmt eine Woche oder zwei.“

„Und was essen wir so lange?“ Ismael knurrte laut der Magen.

„Na, hier ist doch alles voller Äpfel.“

Sie überlegten, ob sie aus jeder Kiste ein paar Äpfel essen sollten, oder lieber eine oder zwei Kisten ganz leer. Was würde weniger auffallen? Schließlich entschlossen sie sich für das Zweite. Die leeren Kisten wollten sie dann bei Nacht ins Wasser werfen.

„Und wo gehen wir hin, wenn … wenn wir mal kacken müssen?“, fragte Daina.

Alle lachten. Aber so komisch war das nicht.

„An die Reling“, sagte Ambromow. „Aber nur, wenn es dunkel ist!“

„Was ist Reling?“, fragte Daina.

„Na, der Schiffsrand“, sagte Ambromow.

Aina bemerkte, dass Daina sehr ängstlich wurde, und sie flüsterte ihrer Schwester zu: „Wir gehen zusammen, und ich halte dich fest.“

„Ich muss aber nicht nur nachts“, protestierte Ludka. „Ich muss auch am Tag.“

„Also, Pieseln ist ja nicht so schlimm“, sagte Ambromow und wies mit vager Geste in irgendeine Ecke.

Durch den Spalt zwischen Deck und Persenning konnten sie nach draußen sehen. Der voll beladene Kahn lag tief im Wasser. Es sah so aus, als ob er stillstünde und das Ufer sich wie ein langes Bilderband langsam an ihnen vorbeibewegte. Sie sahen Bäume, Gehöfte, Tiere und Vögel, aber keine Menschen. Ein Silberreiher stand im flachen Uferwasser und fischte. Das war schön. Lange betrachteten sie dieses Bilderbuch. Anfangs hatten sie noch Brot. Sie aßen in kleinen Stücken. Aber der Durst plagte sie. Die Mädchen wollten Wasser schöpfen. Doch Ambromow verbot es ihnen. „Seht ihr nicht, wie schmutzig das ist? Wollt ihr krank werden?"

„Wir haben doch auch sonst Wasser aus Bächen geschöpft", entgegnete Ismael brummig. Aber Ambromow blieb dabei.

„Saugt an den Äpfeln!", sagte er streng. Er begann, Verantwortung zu fühlen. Zum ersten Mal zeigte sich deutlich, wer hier das Sagen hatte, wer der Anführer war. Alle merkten es erstaunt, aber nahmen es ohne Widerrede hin.

Natürlich wusste Ambromow, wie viel schmutziges Wasser sie schon getrunken hatten. Aber das war eben nur schmutzig gewesen, schlammig oder sandig. Mit diesem Fluss, der Weichsel, war es etwas anderes. Er führte Leben und Tod mit sich. Als Ambromow einmal auf die andere Seite des Kahns gekrochen war, hatte er von da aus drei Menschen am Ufer dahindümpeln sehen. Nur das Wasser hatte sie noch bewegt. Aber sie selbst waren regungslos, tot.

Er hatte es nicht den anderen gesagt. Früher, auf dem Weg von Minsk ans Meer, hatte er alles mit seinem Freund beredet. Ismael hatte genauso viele Tote gesehen wie Ambromow. Sie waren harte Burschen, dachten sie. Nur dass

Ismael eben nachts schrie, und Ambromow manchmal ein furchtbares Würgen im Hals spürte, so wie jetzt auch wieder.

Seit dem Tag, an dem die kleinen Mädchen mit ihrer Ziege aufgetaucht waren, und noch mehr von dem Tag an, als Aina die Ziege gegen sein Leben eingetauscht hatte, war das Gegenlicht im Zimmer seiner Erinnerung stärker geworden und manchmal träumte Ambromow wieder von der Gestalt, die da einmal am Fenster gewesen sein musste. Und damit kam auch das Gefühl zurück, warm und sanft, für das er keine Worte hatte. So wurde er zum großen Bruder. Es war seltsam: Indem er die kleinen Mädchen beschützte, fühlte er sich selbst beschützt. Er hatte weniger Angst. Das verstehe einer!

Aina und Daina schwatzten viel miteinander, leise und auf „Ziegensprache". Ludka fühlte sich dadurch ausgeschlossen. Warum redeten sie nicht wie alle andern? Wenn die Zwillinge merkten, dass Ludka bedrückt war, schwiegen sie und versuchten, besonders freundlich zu sein. Irgendwie hatten sie das Gefühl, dass das Ludkas Kahn war, auf dem sie fuhren. Ludkas Kahn und Ludkas Kuchentante. Aber diese Freundlichkeit mochte Ludka auch nicht. Sie hätte lieber selbst eine Zwillingsschwester gehabt.

„Das da drüben ist eine Löffelente mit ihren Jungen", sagte sie jetzt ein wenig angeberisch und deutete zu einer überschwemmten Wiese am Ufer, wo sich ein Entenfamilie tummelte.

„Löffelente?"

„Ja, die hatten wir zu Hause auch. Man erkennt sie an ihrem blauen Kopf, die kleinen Dickerchen, und an ihrem Löffelschnabel."

„Löffelschnabel!", wiederholte Daina und lachte.

„Pscht", machte Aina und legte ihr erschrocken die Hand auf den Mund. Hatte sie auch niemand gehört?

„Die Männchen haben gelbe Augen, die Weibchen braune", fuhr Ludka flüsternd fort.

„Woher weißt du denn das?"

„Ich weiß es eben. Und hört doch, wie der Erpel ruft ... ‚Sleck-eck' hat er gerufen. Und gleich wird die Ente ‚pö-ätt' rufen."

Und tatsächlich hörten sie etwas, das so ähnlich wie „pö-ätt" klang. Auf entisch eben. Die Vögel redeten also auch in verschiedenen Sprachen so wie sie, mal lettisch, mal russisch, mal polnisch.

„Fliegen müsste man können", sagte Aina mit einem tiefen Seufzer. Ludka wollte schon fragen, wohin sie denn dann fliegen würde, aber sie tat es lieber nicht, denn beide Mädchen hatten Tränen in den Augen. „In Sibirien gibt es wohl keine Löffelenten", sagte Daina ganz leise. In dieser Nacht träumte sie von Enten, die mit goldenen Löffeln in einer wunderbar duftenden Sauerkrautsuppe herumrührten. Es sah lustig aus, und sie erwachte mit einem Lächeln. Aber dann merkte sie, dass es hier noch immer nur Äpfel zu essen gab, Äpfel, Äpfel und Äpfel.

Tatsächlich waren das tuckernde Geräusch des Schleppers und all die anderen Flussgeräusche so laut, dass die Mannschaft vorn sie auch weiterhin nicht bemerkte. Manchmal legte der Schlepper abends an, und die Männer „gingen einen saufen".

Einmal, es konnte nicht mehr weit sein bis Warschau, kamen sie erst im Morgengrauen zurück. Einer von ihnen schlenderte am Ufer entlang, und plötzlich blieb er wie angewurzelt stehen. Er starrte auf den Schleppkahn. Ungläubig schloss er die Augen. War er wirklich so sturzbetrunken? Aber als er die Augen wieder öffnete, war die Erscheinung immer noch da.

„He!", schrie er zu den anderen Männern hinüber, die schon auf dem Schlepper waren. „He! Kommt mal schnell her. Ich habe einen nackten Kinderpopo gesehen!"

Die andern lachten schallend. „Was hast du gesehen?"

„Einen nackten Kinderpopo. Ehrlich! Kommt, kommt mal sofort her. Da stimmt was nicht."

Der zweite Bootsmann und der Käpt'n kamen langsam näher. Der Kahn sah aus wie immer. Kein nackter Kinderpopo.

„Komm, Witold. Mach zu, du alter Saufkopp. Ab in die Koje. Wir wollen heute noch nach Warschau kommen."

Aber so leicht ließ sich Witold nicht beruhigen.

„Ihr denkt, ich hab bloß einen in der Krone. Aber ich weiß doch, was ich gesehen habe! Ich will jetzt – zum Donnerwetter! –, dass wir nachsehen!" Er fing an zu randalieren. War er vielleicht verrückt? Nein! Was er gesehen hatte, hatte er gesehen!

Der zweite Bootsmann sah den Kapitän an. Der zuckte mit den Achseln. „Lass ihn, wenn er sonst keine Ruhe gibt." Und er tippte sich an die Stirn.

Der zweite Bootsmann und Witold legten nun eine Planke zum Kahn, liefen hinüber und öffneten die Persenning: Lauter kleine schmutzige Gesichter starrten sie mit weit aufgerissenen Augen an.

„Matka Boska! Käpt'n, wir haben Ratten an Bord!", rief der Bootsmann.

„In den Fluss schmeißen sollte man euch, ihr Lumpenpack!", schrie Witold.

Der Kapitän kam heran, sah hinunter in den Kahn und sagte erst einmal nichts. Er schluckte und wurde blass. Dann fragte er die Kinder, wo sie hinwollten. Ludka verstand ihn und antwortete leise:

„Zur Tante nach Warschau. Die hat einen Kuchenladen." Der Kapitän musste unwillkürlich schmunzeln.

„Na, die wird sich freuen", schrie Witold. „Wenn's die überhaupt gibt. Aber Käpt'n, die haben doch bestimmt kiloweise Äpfel gefressen. So was darf man doch nicht zulassen!"

„Vszystko jedno, egal", sagte der Kapitän. „Wenn sie doch keinen Kuchen hatten ...", und er lächelte dem zweiten Bootsmann zu.

„Ich werd' euch gleich was! Blinde Passagiere! Apfelfresser!", zeterte Witold, der noch immer ziemlich berauscht war, und packte Ludka am Arm.

„Halt's Maul!", fuhr der Kapitän barsch dazwischen.

„Komm jetzt mit nach vorne. Und du, Bootsmann, machst hier wieder zu.“

Der Kapitän nahm Witold mit nach vorne, die Plane wurde festgezurrt, und bald tuckerte der Schlepper wieder dem ersehnten Kuchenladen zu.

Obwohl sie sich jetzt nicht mehr verstecken mussten, wagten sich die Kinder kaum noch zu rühren. Was würde sie erwarten, wenn sie ankamen? Würde dieser betrunkene Witold sie doch noch in die Weichsel werfen oder verprügeln?

Gegen Abend trafen sie endlich in Warschau ein. Die Persenning wurde geöffnet. Der zweite Bootsmann half ihnen aus dem Kahn, und der Kapitän fragte: „Wo wohnt denn eure Tante?“

„Am Altstädter Markt“, sagte Ludka.

Witold lachte höhnisch, und der Kapitän machte ein ernstes Gesicht.

„Na, dann kommt erst einmal mit zu mir.“

So kam es, dass die Frau des Kapitäns, als sie zum Fenster hinausschaute, ihren Mann mit einem ganzen Schwarm von Kindern kommen sah. Da staunte sie nicht schlecht. Wo hatte er sie her, und sollten sie etwa dableiben? Wie in aller Welt sollte sie die satt bekommen?

Und – wer hätte das gedacht? Sie kochte eine Sauerkrautsuppe!

„Genau wie ich geträumt habe“, sagte beim Essen Daina glücklich und hatte damit das Herz der guten Frau gewonnen. Aber vor dem Essen hatten sie alle in die Waschküche gemusst. Dort war gerade große Wäsche gewesen und es gab noch heiße Seifenlauge. Im Zuber schrubbte die Frau sie ab, zuerst die Mädchen. Sie gab ihnen alte Hemden von ihrem Mann zum Anziehen und steckte all ihre Kleider anschließend in den Wäschekessel. Die Wunden an den Füßen bestrich sie mit Salbe und flocht das nun saubere Haar der Mädchen zu ordentlichen Zöpfen. Sie fand sogar noch ein paar bunte Schleifen, die sie an den Enden der Zöpfe befestigte.

Als Ismael an der Reihe war und sie sich seinen Kopf besah, sagte sie: „Oh, oh. Ich glaube, da müssen wir noch mehr machen.“ Sie bat ihren Mann, dem Jungen die Haare zu scheren, und dann rieb sie seinen Kopf mit Petroleum ein, ob Ismael nun wollte oder nicht. Zuerst wehrte er sich heftig dagegen. Böse Erinnerungen von geschorenen Köpfen kamen in ihm hoch.

Es stank fürchterlich, aber davon starben schließlich die Läuse. Während des Essens saß Ismael weitab von den anderen auf der Ofenbank. „Sonst sterben wir alle mit den Läusen“, rief Aina und hielt sich die Nase zu. Ismael war wütend. Aber er bekam dafür auch eine Extraportion Suppe. Decken wurden auf den Boden gelegt, und die todmüden Kinder streckten sich aus, so lang und so breit, wie sie wollten. Ludka lag noch eine Weile wach.

Der Weichselschiffer und seine Frau saßen im Nebenzimmer und unterhielten sich leise. Doch die Tür war nur angelehnt. Der Mann erzählte, wie sie die Kinder gefunden hatten, und Ludka hörte die Frau schluchzen, als sie davon sprach, wie dürr ihre Körper im Waschzuber ausgesehen hatten. Wie Gerippe. „Und was machen wir nur jetzt mit ihnen? Wie könnten wir sie davon abhalten, in die Altstadt zu gehen?", fragte die Frau und schluchzte wieder.

Warum sollten sie nicht in die Altstadt gehen, überlegte Ludka, schlief aber darüber ein.

Mit dem Schmutz von Wochen war auch eine Last von den Kindern gewichen. Sich sauber zu fühlen war Normalität, das Leben von früher, weit weg von ihrem unsicheren Weg, von Hunger und Ängsten. Morgens wusch die Frau auch Ismaels Kopf mit Kernseife, und so hatten die Läuse keine Chance mehr. Nur komisch sah er aus, mit seinem kahlen Kopf, und er schämte sich. Der Schiffer schenkte ihm eine alte Schirmmütze. Darauf war Ismael sehr stolz, und er nahm sie nie wieder ab.

Zum Frühstück gab es Brotsuppe. Die Frau sagte, die Kleider seien noch nicht trocken, darum sollten sie dableiben und ihr etwas helfen. Die Mädchen könnten das Geschirr waschen und die Küche putzen. Die Jungen könnten Holz hereintragen und stapeln. Ambromow sagte: „Ich kann auch Holz hacken." Und das tat er dann auch. So machten sie sich nützlich. Gegen Abend gab es noch einmal etwas zu essen: „Himmel und Erde", Kartoffeln und Äpfel zusammen gekocht.

Dann lagen die Kleider trocken und geflickt auf der Ofenbank. „Als ob die Krasnoludki das gemacht haben", sagte Ludka und die Frau lächelte zufrieden.

„Was sind Krasnoludki?", fragte Ambromow verständnislos.

„Na die Zwerge, die nachts alles für die Menschen reparieren." Ambromow stöhnte und schüttelte den Kopf.

Nun gab es keinen Grund mehr, nicht in die Altstadt gehen zu können. Die Kinder ließen sich auch gar nicht mehr aufhalten. Jetzt, wo sie so hübsch und frisch aussahen, würde sich die Tante von Ludka bestimmt über sie freuen und sie mit Kuchen füttern. Sie ließen sich von der Kapitänsfrau den Weg beschreiben und achteten nicht auf ihr Zögern. Es war allerdings schwer, den Weg zu finden, denn auch Warschau war eine zerstörte Stadt. Und als sie schließlich am Altstädter Markt ankamen, war da ein großer, freier Platz und ringsherum alles in Schutt und Asche. Kein Haus, keine Tante, kein Laden, kein Kuchen. Sie standen da wie vom Donner gerührt, und dann liefen sie ziellos durch die Trümmer, so als könnten sie doch noch irgendetwas finden. Sie konnten nicht einmal weinen, so enttäuscht waren sie, so hoffnungslos. Böse schauten die Häuser mit ihren schwarzen Fensterhöhlen auf sie herab. Wenn allerdings der Himmel durch solche leeren Fenster sah, dann konnte man meinen, es seien blaue Seidengardinen und dahinter sei die Welt noch in Ordnung. Welch ein Irrtum! Die Erwachsenen hatten den Kindern die Welt zerschlagen.

Wie ein elendes Häuflein saßen sie schließlich auf einem Hügel aus rotem Steinschutt. Da hörten sie plötzlich einen lieblichen Gesang, eine helle Mädchenstimme. „Es geht durch alle Lande ein Engel still umher. Kein Auge kann ihn sehen, doch alles sieht er. Der Himmel ist sein Vaterland ...“

Dann sahen sie ihn, den Engel, im hellen Sommerkleid mit goldenen Haaren und blauen Augen. Er kam direkt auf sie zu und es sah aus, als ob er über die Steine schwebte. Er war nicht viel größer als Ludka, setzte sich neben sie und lächelte sie alle der Reihe nach an. Nach einer Weile des Schweigens sagte er: „Ich weiß, ihr sucht etwas, doch alles, was hier war, ist gewesen, ist fort und jetzt im Himmel oder in der Hölle.“

Die Kinder sahen den Engel erstaunt an. Er sprach deutsch.

„Wir haben einen Kuchenladen gesucht und nun den ganzen weiten Weg umsonst gemacht. Jetzt haben wir nichts!“, stieß Ludka hervor.

„Ich habe auch nichts“, sagte der Engel und hustete. „Ich weiß nicht, wo meine Eltern geblieben sind.“

„Bist du denn kein Engel?“, fragte Ludka erstaunt. Sie fasste vorsichtig nach der Hand des Wesens. Die Hand war sehr zerbrechlich, aber warm.

„Ich heiße Jana, ein Engel bin ich nicht. Vielleicht werde ich mal einer, irgendwann.“ Sie lächelte unsicher, schaute eine Weile die Kinder an und dann hinauf in den Himmel. „Lasst uns doch in den warmen Süden ziehen, wie die Zugvögel. Da ist bestimmt ein Nest, das auf uns wartet.“

Nur Ismael und Ludka verstanden das Mädchen. Ludka, weil sie ja Deutsch von ihrer Großmutter gelernt hatte, und Ismael, weil er Jiddisch sprach, was manchmal wie Deutsch klang. Das Mädchen war sehr anziehend und zugleich unheimlich. Irgendwie ein bisschen verrückt ... Die Kinder stocherten verlegen in dem Trümmerhaufen herum, auf dem sie saßen. Aina fand ein Stückchen Stein, das wie eine Blume geformt war. Vielleicht einmal eine Verzierung an einem Haus. Daina fand ein verkohltes Stück von einem goldenen Bilderrahmen. Ambromow fand einen Klumpen geschmolzenes Glas. Er hielt es in der Hand und es erinnerte ihn an etwas. Aber an was? Es schimmerte bläulich, wie Wasser. Wie Wasser? Glas im Wasser. Und plötzlich wusste er es. Er griff in seinen Brustbeutel und holte den Zettel heraus, den er vor Wochen als Flaschenpost im Meer gefunden hatte. Vielleicht war es Deutsch, was darauf geschrieben stand! Er gab dem Engel-Mädchen den Zettel in die Hand. Sie strich den Zettel glatt und las:

„Da mir mein Sein so unbekannt,
Leg ich es ganz in Gottes Hand.
Der führt mich wohl, so hin wie her,
Mich wundert's, wenn ich traurig wär'. –
Ich werde dich immer lieben. Deine L."

Die Kinder waren völlig verblüfft, dass hier in der Stadt jemand lesen konnte, was weit weg in der Ostsee gefunden worden war. Jana gab den Zettel Ludka, und Ludka versuchte zu übersetzen, was Jana vorgelesen hatte. „‚Da mir mein Sein so unbekannt …' Das heißt ungefähr: Weil ich nicht weiß, wer ich eigentlich bin, nimmt mich Gott an der Hand. Der führt mich gut, hierhin und dahin. Darum wäre es komisch, wenn ich traurig wäre. Und darunter steht noch: ‚Ich werde dich immer lieben. Deine L.'"

Nach den letzten Worten sah Ludka Ambromow groß an und gab ihm den Zettel zurück. Ambromow wusste nicht so recht, was das Gedicht zu bedeuten hatte, aber sein Herz klopfte laut. Hatte nicht irgendjemand einmal Leonore geheißen?

Noch eine ganze Weile saßen sie schweigend in den Trümmern, sahen vor sich hin, berührt von einem kleinen Wunder, das auch weiterhin geheimnisvoll blieb. Dann gingen sie zurück zur Frau des Kapitäns. Das Engel-Mädchen blieb bei ihnen.

Die Kapitänsfrau hatte Weißbrot gebacken. Sie hatte ja vorausgesehen, wie verstört die Kinder nach der großen Enttäuschung sein würden, die sie in der Altstadt erwartete. So ist ihnen dies Brot vielleicht ein kleiner Trost, dachte sie.

Das Mehl hatte sie eigentlich aufbewahren wollen, für einen Feiertag. Später würde es ihr fehlen. Aber wie die Kräuterfrau gehörte sie zu den Wenigen, deren Herz in den harten Zeiten nicht zu Stein geworden war.

Ein letztes Mal schliefen die Kinder mit ihren Decken auf dem Holzboden. Der Flusskapitän sagte, er habe einen Bekannten gebeten, sie auf dessen Kahn mit nach Krakau zu nehmen, auch eine Stadt am Fluss. Dort habe er einen Vetter, der sie vielleicht in seiner Gärtnerei brauchen könne. Wieder ein Hoffnungsschimmer.

Am Abend hatte die Frau das niedlichste der Mädchen, Daina, auf den Schoß genommen und dann gefragt, ob sie nicht bei ihr bleiben wolle. Sie könne nicht alle Kinder satt machen, sagte sie zu den anderen, aber doch wenigstens eines, das es gut haben könne bei ihr. Ob sie das verstehen könnten?

„Nein", sagte Ambromow.

Stille.

„Sie sind ein Rudel Wolfskinder. Wie eine Familie. Und eine Familie muss zusammenhalten", sagte Jana, das Engel-Mädchen und alle sahen sie erstaunt an, als Ludka die Worte wiederholte. Daina rutschte vom Schoß der Frau und setzte sich neben ihre Zwillingsschwester. Sie war traurig und froh zugleich. Traurig, dass sie nicht bleiben konnte, froh, bei ihrer Schwester zu sein. Und froh, die Liebe dieser Frau verspürt zu haben.

„Und du, mein Engel. Was wirst du tun? Willst du nicht warten, bis dich hier jemand findet?", fragte die Kapitänsfrau und sah abwechselnd das blasse, kluge Mädchen und Ludka an, die vermittelte.

„Es gibt niemanden mehr, der mich sucht." Das klang erstaunlich gewiss. „Ich werde eine Weile mit ihnen gehen." Jana setzte sich zwischen die Kinder und war froh, ihresgleichen gefunden zu haben.

Da blieb der Kapitänsfrau nichts anderes übrig, als jedem von ihnen ein Säckchen mit Essenssachen zu geben. Brot und Trockenobst und gekochte, trockene Bohnen, gelbe Rüben und einen Apfel. Sie füllte auch ein Säckchen für Jana und gab ihr eine große, blaue Strickjacke mit, die das Mädchen wie einen Mantel über ihr dünnes Sommerkleid ziehen konnte. Später entdeckten die Kinder noch warme Socken, die die gute Frau zuunterst in alle ihre Säckchen gesteckt hatte. Beim Abschied gab es Tränen.

Als der Kapitän die Kinder seinem Kollegen übergab, sagte der nur: „Was? So viele?"

„Die Jungen können dir ja auf dem Kahn helfen. Sie sind anstellig." Aber der andere brummte nur irgendetwas Unfreundliches und schob die Kinder aufs Vorderdeck.

„Er sieht aus wie ein Menschenfresser", flüsterte Daina.

Dies war kein Schlepper mit einem Anhänger daran, sondern ein einzelner Lastkahn. Was er geladen hatte, wussten die Kinder nicht. Die Fracht war im Laderaum in verschiedene Kisten und Säcke verpackt.

„Lasst ja die Finger davon!"

Sie saßen und standen immer eng aneinandergerückt, so als wollten sie sich gegenseitig durch ihre Körpernähe beruhigen.

„He du!", rief jetzt der Menschenfresser und deutete auf Ambromow. „Du kannst mal den Kessel heizen." Dann brüllte er: „Wojciech! Zeig dem Kerl doch mal, wie man Kohlen schippt." Ein schiefes Grinsen huschte über sein mit dichten Bartstoppeln bewachsenes Gesicht. „Und überheb dich nicht, Zwerg!"

„Was hat er gesagt?", flüsterte Ambromow Ludka zu.

Wojciech kam und sah auch nicht viel vertrauenerweckender aus, mit seinen schwarzen Strubbelhaaren, die nie die Bekanntschaft eines Kamms gemacht zu haben schienen. Stumm winkte er Ambromow mit dem Kopf und verschwand mit ihm im Heizungsraum.

„So", sagte jetzt der Menschenfresser. „Und ihr zwei schrubbt mal das Deck." Er schmiss Ismael und Ludka zwei Schrubber und zwei Eimer vor die Füße. An einen Eimer war ein Seil gebunden. Die Kinder errieten, was sie tun sollten. Mit dem Eimer am Seil schöpfte Ismael das Wasser aus dem Fluss, und sie machten sich ans Schrubben. Die anderen Kinder zogen ihre Beine hoch und saßen wie aufgeplusterte, ängstliche Hühnchen auf der Stange. Sie hielten die mitgebrachten Säckchen umklammert.

Der Weichselkahn fuhr los.

Schwere Arbeit waren sie nicht gewöhnt. Völlig erschöpft saßen Ambromow, Ludka und Ismael am Abend da. Der Menschenfresser stand am Steuer.

„Was? Schon schlappmachen?" Er lachte verächtlich. „Wojciech, gib ihnen was zu essen."

Wojciech brachte einen Topf mit dünner Graupensuppe. Den ließen sie reihum gehen und aßen mit dem einzigen Löffel.

Dann winkte der Menschenfresser überraschend Ambromow ans Steuer.

„Immer auf die Mitte halten. Wehe, du setzt uns auf Grund!“ Er unterstrich das Gesagte mit passenden Handbewegungen, sodass Ambromow wusste, was von ihm erwartet wurde.

Dabei fühlte er ein Gemisch aus Stolz und Furcht. Der Kahn fuhr langsam. Also würde er es schon schaffen.

Die Männer verschwanden in ihrer Kajüte. Ihr raues Lachen schallte heraus zu den Kindern. Sie krochen unter die Bank, wo es windgeschützt war, und schliefen.

Nach einer Ewigkeit, so schien es Ambromow, wurde er von Wojciech abgelöst. Es wurde dunkel. „Schütt noch was nach!“ Der Mann wies auf den Kohlenhaufen im hinteren Bereich des Kahns.

Dann endlich konnte auch Ambromow sich hinlegen. Aber ihm tat alles weh. Lange konnte er nicht einschlafen. Er starrte auf das schwarze Wasser und auf die wenigen Lichter, die am Ufer vorbeiglitten. Dennoch fühlte er sich gut, denn er arbeitete und tat damit etwas für seine Freunde. Die Bösartigkeit des Menschenfressers musste er an sich abgleiten lassen.

Die nächsten Tage verliefen ähnlich. Ambromow arbeitete schwer, und auch Ludka und Ismael taten das Ihre. Sie putzten, wuschen das Geschirr und schleppten Wasser. Wojciech war meistens stumm, und der Menschenfresser warf mit Flüchen und Gemeinheiten um sich, verteilte auch mal Fußtritte. Die drei Mädchen versuchten, sich unsichtbar zu machen. Aber manchmal sahen die beiden Männer mit eigenartigen Blicken zu Jana hin. Ambromow bemerkte es und erriet, was es zu bedeuten hatte. Er nahm sich vor, auf Jana Acht zu geben.

Einmal kletterten die drei Mädchen in das kleine Beiboot und träumten davon, ein Schiff ganz für sich allein zu haben. Das Wasser des Flusses sah jetzt manchmal wie blaue, gerippte Seide aus, manchmal wie gehämmertes Silber. Manchmal spiegelten sich auch Häuser darin, die das Ufer säumten, braune zerstörte Häuser, aus denen schon kleine Bäume und Sträucher wuchsen und deren Wände, wo der Putz abgefallen war, wie aufgeschürfte Haut aussahen. Auch heile Häuser sahen sie, die sich klein und grau unter große Lindenbäume duckten und vor denen weiße Wäsche flatterte. Das sah friedlich aus. Wie schön musste es sein, weiße Wäsche zu haben und einen Garten, in dem man sie trocknen konnte.

Die Zwillinge hätten aber auch gern wieder gewusst, wie die Vögel hießen, die da am flachen Ufer standen oder mit schwarzen Köpfen tauchten. Doch Ludka arbeitete, und Jana war ein Stadtkind und kannte sich nicht aus. Egal. Sie konnten den Tieren ja auch selber Namen geben: Schleierpuschel und Schwarzkopftaucherchen, Kreischer und Froschfresser. Jana schien zu verstehen, was sie machten, und lachte. Sie deutete auf einen Flussstrandläufer, und die Zwillinge nannten ihn Trippelwinzling.

„Chodz“, rief Wojciech. Er zeigte einen Topf. „Suppe fertig“, sollte das wohl heißen. Er holte die Kinder in die raue Wirklichkeit zurück. Ohne es verabredet zu haben, ließen die Mädchen den arbeitenden Kameraden den Löwenanteil an der Suppe.

Plötzlich gab es einen gewaltigen Ruck. Das Schiff stieß an irgendetwas an, das da im Wasser verborgen gewesen sein musste. Die Graupensuppe wurde verschüttet. Im Laderaum polterte es. Der Menschenfresser stieß alle erdenklichen Flüche aus. Aber da er selbst am Ruder stand, konnte er niemanden beschuldigen. Wojciech warf den Anker. Die Männer gingen in den Laderaum. Kurze Zeit darauf riefen sie nach den Jungen. Viele Kisten waren heruntergefallen und aufgebrochen. Kartuschen rollten auf dem Boden herum, Geschosse für Kanonen. „Die verkaufen wir an die Kochtopffabrik zur Umarbeitung", erklärte der Menschenfresser schnell. Aber Ambromow und Ismael sahen noch mehr. Aus der Holzwolle der umgekippten Kisten ragten deutsche Maschinengewehre. „Glotzt nicht so dumm! Helft wieder einpacken!"

Und so packten sie die Kartuschen über die Holzwolle, die die Maschinengewehre bedeckte, und nagelten die Kisten wieder zu.

„Jetzt raus hier!"

Ambromow war kreidebleich, und Ismael ging es nicht besser. „Das ist gestohlenes Beutegut", sagte Ambromow. „Blöd ist vor allem, dass wir die Gewehre gesehen haben", fügte er hinzu. „Wer weiß, wem sie das Zeug verkaufen wollen. Wir sind jetzt in Gefahr."

Sie baten Ludka, die Männer in der Kajüte durch einen Spalt in der Wand zu belauschen.

„Dumm gelaufen", hörte Ludka Wojciechs Stimme.

„Kannst du verflucht noch mal sagen. Die Kinder müssen jetzt weg." Das war der Menschenfresser.

„Wie denn? Willst du sie totschlagen?"

„Vielleicht einfach ins Wasser schmeißen. Ein Unfall."

„Nee, zu auffällig. Und vielleicht können ein paar schwimmen. Aber verkaufen, das wäre gut."

„Verkaufen?" Der Menschenfresser lachte ungläubig. „Wie das denn?"

„Billige Arbeitskräfte werden jetzt nach dem Krieg gebraucht. Ich kenn da auch einen Mittelsmann."

Der Menschenfresser lachte wieder sein böses Lachen. „Na, du bist ja ein Mordskerl. Machst wohl alles zu Geld. Verkaufst deine eigene Schwiegermutter, wenn du eine hättest. Was bringt das denn so?"

„Natürlich nicht viel. Aber für die Jungs und die großen Mädchen schon."

„Auch die Deutsche? Das mickrige Gespenst. Fällt doch um, wenn man nur pustet. Die will doch keiner." Ludka hörte das Gluckern der Schnapsflasche.

„Das sag nicht. Du hast sie doch auch angesehen? Bildhübsch. Ein bisschen aufgepäppelt und sie ist viel wert."

„Bloß die kleinen Zwillinge …"

„Na ja, die kauft jemand aus Mitleid. Du musst sie alle aber ein bisschen besser behandeln, Schiffer. Keine Fußtritte und so. Waschen sollten sie sich auch mal, damit sie wieder so nett aussehen, wie wir sie gekriegt haben."

„Du hast Nerven, Wojciech, verflucht noch mal. Aber

bitte! Und bis wir sie los sind, bleiben sie unter Verschluss …“

Die Stimmen der beiden wurden immer undeutlicher und wodkaverschwommener.

Ludka hatte alle Mühe, nicht ohnmächtig zu werden bei all dem Schrecklichen, das sie gehört hatte. Sie kroch aus ihrem Versteck und erzählte erst mal nur den Jungen davon. Gemeinsam beschlossen sie, den andern auch weiterhin nichts zu sagen. Sie würden sich sonst vielleicht etwas anmerken lassen. Beim nächsten Halt müssten sie allerdings versuchen, von Bord zu kommen. Nur wie?

In den nächsten Tagen staunten die Zwillinge und Jana darüber, dass es statt Graupen auch hin und wieder gekochte Kartoffeln gab und am Abend noch ein zweites Mal etwas zu essen.

Der Menschenfresser schrie und fluchte nur noch selten, und auch Ludka, Ismael und Ambromow durften sich ab und zu hinsetzen und auf den Fluss hinausschauen. Sie wussten, warum.

Bald würde der Fluss eine Biegung nach Westen machen und dann war es nicht mehr weit bis Krakau. „Erst kommen wir aber noch an Grobla vorbei. Du weißt doch, die Schwarzbrennerei. Wir haben keinen Wodka mehr und da könnten wir unsere Vorräte auffüllen. Viel billiger als in Krakau.“ Merkwürdig, Wojciech sagte das so laut, dass jeder es hören konnte.

„Kannst Recht haben“, erwiderte der Menschenfresser.

„Halten wir also.“ Am Abend erreichten sie das Dorf Grobla und machten an einer kleinen Mole fest.

Es war schon dunkel, als die Männer den Kahn verließen und auf den Ort zusteuerten. Kaum waren sie von Bord gegangen, rief Ambromow Jana und die Zwillinge und machte ihnen klar, dass sie jetzt sofort verschwinden müssten.

„Aber warum denn?“, jammerten Aina und Daina. Sie waren den ewigen Wechsel leid.

„Das erklären wir euch später, los, kommt jetzt.“

Ludka und Ismael rannten in die Kombüse, die kleine Schiffsküche. Sie wussten, wo die Vorräte waren, und nahmen den Beutel mit Graupen, von denen sie immer gegessen hatten, einen Kessel, eine Speckschwarte und einen geräucherten Schinken mit. Ismael griff sich noch eine Wodkaflasche – komisch, dachte er, die hatten doch keinen mehr! – und rannte zu den andern.

Es war für sie nicht leicht, von dem tief liegenden, schwankenden Schiff auf die Mole über ihnen zu klettern. Aber schließlich hatten sie auch die Zwillinge hochgezogen und liefen davon. Ehe sie um die Ecke bogen, sah Ismael sich noch einmal um. Da stand am anderen Ende der Mole Wojciech. Einen Augenblick setzte Ismaels Herzschlag aus. Aber Wojciech stand nur so da, als schwarze Gestalt im Mondlicht, bewegte sich nicht und rief nicht, kam ihnen nicht hinterher gerannt. Stand nur da und schaute ihnen nach.

Ismaels Herz schlug wieder, und er rannte weiter. Allmählich wurde ihm klar, dass Wojciech sie gerettet hatte. Hatte das mit dem Verkauf der Kinder nur vorgetäuscht, damit der Menschenfresser sie in Ruhe ließ, sie nicht ins Wasser warf und sogar nett zu ihnen war. Und er musste gemerkt haben, dass Ludka sie belauschte. Wie nur? Manchmal kann Gottes Engel offenbar auch die Gestalt eines wild aussehenden Weichselschiffers annehmen, dachte Ismael. – „Er wird deinen Fuß nicht gleiten lassen, und der dich errettet, schläft nicht."

Die Felder

Im schwachen Mondlicht stolperten sie dahin. Im Dorf Grobla schlug ein Hund an. Andere folgten, und aus ihrem Kläffen wurde ein lang gezogenes Jaulen. Sie schienen dem Mond ein Konzert zu geben. Grauslich. Dann zogen Wolken auf, es wurde stockdunkel, und schließlich fing es auch noch an zu regnen. Die Zwillinge heulten.

„Warum musstet ihr auch gerade jetzt vom Schiff runter?"

Ambromow nahm Aina an die Hand und Ismael ihre Schwester. Jana und Ludka gingen nebeneinander her und halfen sich. Wenn eine stolperte, hielt die andere sie fest.

Ambromow trieb zur Eile. Als sie schon gar nicht mehr weiterkonnten, fanden sie am Weg einen Heuschober. Sie wühlten sich kleine Höhlen in das Heu, krochen hinein und versuchten zu schlafen. Es roch modrig. Jana hustete.

Sehr früh wachte Ambromow auf. Nicht weit entfernt hatte ein Hahn gekräht. Sie waren also noch zu nah am Dorf und am Ufer des Flusses, zu nah an dem Mann, den sie „Menschenfresser" nannten. Ambromow weckte die anderen. Ohne etwas zu essen, liefen sie weiter. Ein feiner Nieselregen begleitete sie. Gegen Mittag machten sie endlich Rast. Sie waren jetzt auf freiem Feld. Nirgends gab es etwas, das sie vor der Nässe geschützt hätte. Auch Feuer konnten sie nicht machen. So saßen sie im warmen Sommerregen und aßen die letzten Sachen aus den Säckchen der Kapitänsfrau. Dann gingen sie weiter. „Hört auf zu heulen", sagte Ambromow zu den Zwillingen. „Wir haben es schon nass genug."

Janas blaue Strickjacke saugte sich voll Wasser. Verzweiflung machte sich breit. Alle sahen auf Ambromow. Der überlegte, ob sie nicht in ein Dorf gehen und um Hilfe bitten sollten. Aber es war weit und breit keins zu sehen.

Hatten sie überhaupt ein Ziel? Nein, nur schnell und weit genug von der Gefahr weg, die ihnen vom Fluss drohte.

Und dann setzte sich Daina einfach auf den nassen Acker und rührte sich nicht mehr vom Fleck. Die allgemeine Verzweiflung stieg. Ehe sich auch die anderen noch auf den Boden setzen konnten, gab Ambromow sein Gepäck an Ismael und nahm Daina kurzerhand huckepack. Den ganzen restlichen Tag trug er so abwechselnd Daina und Aina auf seinem Rücken, bis er selbst nicht mehr konnte. Da war es bereits wieder dunkel. Aber es regnete immer noch feinen warmen Nieselregen. Darüber hätte man sich gefreut, wenn man einen Blumengarten gehabt hätte und ein Dach über dem Kopf, dachte Ludka. Aber so war es schlimm. Die Schuhe wurden immer schwerer von den Dreckklumpen, die daran klebten, und alle waren nass bis auf die Haut. Eng gedrängt um den Stamm einer großen alten Linde schliefen sie endlich, die Kühle der Nacht machte sie zittern. Ismael hatte jedem einen Schluck aus der Wodkaflasche gegeben. Er nannte sie Zauberflasche.

„Das wärmt und macht satt", sagte er. Aber lange hielt es nicht vor.

Am nächsten Morgen regnete es noch immer. Mühsam schleppten sie sich weiter, aber dann, um die Mittagszeit, trafen sie – man glaubt es kaum! – den betrübten Herrn Jesus.

Er saß da im langärmligen Kleid und Umhang, aber man sah seine dürren Rippen durch den Stoff hindurch. Seinen Kopf hatte er schräg in die rechte Hand gestützt. Seine Dornenkrone sah wie eine Pelzmütze aus. Er hatte ein bärtiges, unendlich liebes, unendlich trauriges Gesicht, schaute schräg nach oben, und seinem Mund schien sich ein Klagelaut zu entringen. So saß er da, ganz schmal unter einem schmalen Dach, holzgeschnitzt. Sie standen eine Weile im Regen davor und sahen ihn an, einen, dem es genauso ging wie ihnen. Er erinnerte sie an den alten Fischer von der Ostseeküste.

Das Gute war, dass der betrübte Herr Jesus, wie ihn die Zwillinge getauft hatten, auch ein Häuschen besaß. Das stand hinter ihm, eine kleine weiße Kapelle. Sie gingen hinein und fanden nichts als ein paar Holzstücke, die einmal zu irgendwelchen Möbelstücken gehört hatten. Bänke? Oder Tische? Sie ließen sich auf den kahlen Steinfußboden nieder und waren glücklich, waren im Trockenen und saßen so eine ganze Weile. Dann sagte Ambromow: „Hier könnte man Feuer machen."

Die anderen sahen ihn fragend an. Ein Feuer – das wäre schön! Aber wie denn?

Da zog Ambromow ein Feuerzeug aus der Hosentasche. Der Flusskapitän hatte es ihm beim Abschied geschenkt. Alle staunten und freuten sich auf die Wärme, die es nun bald geben würde. Ambromow spaltete eine Handvoll Späne von dem Möbelholz ab. Kunstvoll baute er einen kleinen Holzstoß, und mit unendlicher Geduld und viel Pusten brannte schließlich ein Feuerchen. Das kam ihnen wie ein Wunder vor. Sie rückten ganz dicht heran und zogen ihre nassen Sachen aus. Da saßen dann lauter kleine nackte Wilde ums flackernde Feuer und wärmten sich. Allerdings rauchte es ziemlich stark. Bald war der ganze Raum voller Qualm, es brannte in den Augen. Ambromow machte für Ismael eine „Räuberleiter", indem er ihn auf seine zusammengelegten Hände steigen ließ. Ismael öffnete die kleinen runden Fenster oben in den Giebelwänden. Der Rauch zog ab, und das Feuer brannte ruhiger.

„Seid mal leise", sagte Ludka nach einer Weile. Der Regen hatte nachgelassen, und sie hörten ein schwaches Plätschern. Selbst einen kleinen Brunnen hatte also der betrübte Herr Jesus hinter seinem Häuschen! Ein feiner Strahl floss aus einem Rohr in ein Steinbecken. Die Kinder liefen hin und ließen verträumt diesen sanften Strahl über ihre Hände rinnen. Ludka füllte den Kessel und schüttete die Graupen hinein. Dann hängten sie den Kessel an einen Stock und abwechselnd mussten immer zwei den Kessel übers Feuer halten. Es war wie ein Spiel. Ambromow legte von dem Holz nach, das in der Kapelle herumlag. Langsam fing es im Kessel an zu brodeln.

Friedlich aßen sie. Sie aßen den ganzen Kessel leer, bis auf die Speckschwarte, die Ludka hineingetan hatte und die da noch auf dem Grund lag. Jeder schaute sie verlangend an.

„Ich finde, Ambromow soll sie bekommen", sagte Aina. „Er hat so viel geschleppt."

„Ja, ja besonders dich", rief Ludka. Alle lachten und Ambromow machte sich über die Speckschwarte her.

Ludka erzählte den anderen endlich, was sie an jenem Abend gehört hatte, und warum sie vom Schiff hatten flüchten müssen. Dass der Menschenfresser sie augenblicklich über Bord werfen wollte und dass Wojciech ihm eingeredet hatte, sie zu verkaufen. Was er aber nicht ernst gemeint hatte.

Jana und die Zwillinge waren entsetzt. „Uns über Bord werfen wollte er? Uns umbringen?" Sie schauderten. Dieser Mann war also wirklich so etwas wie ein Menschenfresser. Jana weinte, und Ludka ging raus und holte vom frischen Quellwasser. Sie tranken, und das tröstete sie irgendwie. Jana hörte auf zu schluchzen. Ismael erzählte dann noch das von Wojciech. Wie der da im Mondlicht gestanden hatte, wie ihm, Ismael, beinahe das Herz stehen geblieben war und dass er schließlich begriff, was Wojciech für sie getan hatte.

„Warum gibt es so viele schlechte Menschen, aber auch ein paar gute?", fragte Ludka. „Und warum sind die gut?

Wo sie das gar nicht müssten. Wie Wojciech zum Beispiel?"

„Weil … weil der vielleicht ein Gewissen hat, oder so was." Ambromow sah vor sich hin.

„Das weißt *du*, aber weiß Wojciech, dass es so was gibt, ein Gewissen?", fragte Aina jetzt.

„Was weiß ich?" Ambromow kaute immer noch auf seiner Speckschwarte herum.

„Was wohl die beiden auf dem Kahn jetzt machen? Was wohl der Menschenfresser gesagt hat, als er es merkte?", fragte Aina.

„So ein gottverdammter, verfluchter, beschissener Saumist, ein elender!"

Entgeistert starrten alle Ludka an, die das eben mit verstellter und sehr lauter Stimme gesagt hatte. Es klang täuschend echt.

Dann brachen sie in ein schallendes Gelächter aus. Sie lachten und lachten und konnten gar nicht mehr aufhören. So lachten sie sich all die Anspannung und die Angst der letzten Tage von der Seele.

Schließlich schliefen sie in ihren noch immer feuchten Kleidern ein. In der kleinen Kapelle war es warm und dampfig.

Ob es nun daran lag, dass sie wieder einen Schluck aus der Zauberflasche genommen hatten, oder daran, dass sie einfach so erschöpft waren, jedenfalls erwachten sie erst spät am nächsten Vormittag.

Es hatte nun gänzlich aufgehört zu regnen, und die warme Sommersonne schien durch die kleinen Fenster der Kapelle. Ludka war als Erste auf. Sie ging nach draußen an den Brunnen, wusch sich und legte all ihre Sachen außer dem Unterzeug auf die Wiese, damit sie endlich ganz trocken würden. Dann pflückte sie Kamillenblüten, wusch den Kessel aus, füllte ihn mit Wasser und wollte Tee kochen. Jetzt kam auch Ambromow heraus. Er machte ein Feuerchen, legte zwei Steine rechts und links dazu, auf denen der Kessel stehen konnte. Die beiden Großen fühlten sich im gemeinsamen Tun verbunden und genossen den stillen Morgen. Allmählich kamen auch die andern zum Feuer und blinzelten in die Sonne. Schließlich tranken alle Kamillentee. „Ihr seid wie unsere Eltern", befand Aina und sah die beiden Großen an, die eigentlich gar nicht so groß waren und die heute so zufrieden dreinblickten.

Um die Kapelle herum waren, so weit das Auge reichte, nur Felder, die niemand bestellt hatte. Traurig sah das aus, fand Ludka, wie ein unrasierter Mann oder ein Esstisch, der nicht abgeräumt worden war. Ab und zu stand da ein Baum oder eine Baumgruppe. Aber weit und breit kein Mensch, kein Haus, kein Tier. Als sie die Gegend nach Essbarem absuchten, fanden sie ein Feld, das unbestellt war wie die anderen. Aber dennoch wurden sie fündig. Hier hatten sich die Kartoffeln von allein vermehrt. Das war natürlich „ein gefundenes Fressen", wie Aina sagte. Alle fingen sofort an zu buddeln. Ismael füllte seine Mütze, die anderen irgendein Kleidungsstück. „Hört auf!“, sagte Ludka. „Wir brauchen ja nicht gleich alle mitzunehmen. Wir können ja wiederkommen.“ Das war eine neue Überlegung, die zu dem Gedanken führte, dass sie hier eine Weile bleiben würden, hier, wo sie ein eigenes „Häuschen“ hatten. Ein gutes Gefühl.

Wieder bei diesem „Häuschen“ angekommen, kochten sie einen großen Kessel Kartoffeln. Ludka dachte an die Kräuterfrau und ging mit Jana sammeln: Löwenzahn, Sauerampfer, Breit- und Spitzwegerich und Schafgarbe. Dann bat Ludka Ambromow um seinen Dolch, und auf einem Stein schnitt sie die Kräuter klein. Man konnte sie auf die Kartoffeln streuen. Das war dann schon ein richtiges Gericht. Zuerst aßen sie die Kartoffeln heiß, aber im Laufe des Tages aßen sie auch die kalten. Sie aßen und aßen, bis der Kessel leer war. Fast eine Verschwendung, so viel an einem einzigen Tag zu verschlingen. Aber es war einfach herrlich.

Neben der Kapelle stand ein Holunderstrauch. Ismael saß fast den ganzen Tag darunter und schnitzte an einem Pfeifchen. Sein Vater hatte ihm einmal so ein Holunderpfeifchen gemacht. Endlich war es fertig und gab zwei Töne von sich. Ismael war sehr stolz und schenkte es Jana. „Wer nicht richtig mit uns sprechen kann, muss pfeifen“, sagte er und lachte. Jana lachte auch und dachte, dass es wohl etwas Nettes gewesen sein musste, was Ismael zu ihr gesagt hatte. Sie pfiff die zwei Töne: Das war der Anfang von einem Lied. Dann sang sie.

„Draußen, da wachsen Blaubeeren am Hain,
Komm, Herzensfreud.
Willst du mich finden, dort sind wir allein.
Kommt, Rosen und Akeleien,
Kommt, Lilien und blau Salbeien,
Komm, lieblich Krausminze,
Komm, Herzensfreud.
Liebliche Blumen, die locken zum Tanz,
Komm, Herzensfreud.
Willst du, so winde ich dir einen Kranz.
Blumen im Kranze, die schmücken dein Haupt,
Komm, Herzensfreud.
Sonne geht unter, die Liebe geht auf."

Alle saßen und hörten der hellen Stimme zu, so als ob es die eines Vogels sei. Ludka sagte, es ginge in dem Lied darum, was man mit Blumen so alles machen könnte, aber wichtig war nur, dass es etwas Schönes gab, etwas, das ihnen gehörte und extra nur für sie gesungen wurde. Das war so schön, wie sich satt zu essen. Nur etwas anders.

Aber während die anderen nun wieder auf die Felder liefen, um sie zu erkunden, blieb Daina am Brunnen sitzen und schmollte. Ismael bemerkte es und setzte sich zu ihr. Nach einer Weile sagte er: „Du denkst, ich hätte das Pfeifchen dir schenken müssen?" Daina nickte und fing an zu weinen. Ismael fühlte ein Gemisch von Zuneigung, Schuld und Hilflosigkeit.

Lange starrte er auf den Brunnen und entdeckte schließlich drei kleine wilde Erdbeeren, die da an seinem Rand wuchsen. Er stand auf, pflückte sie und hielt sie Daina hin. „Willst du?“

Daina nickte, nahm sie aus seiner flachen Hand, es kitzelte, und steckte sie unter Tränen lächelnd in ihren Mund.

In den nächsten Tagen gingen die Kinder immer wieder Kartoffeln buddeln. Sie legten sich gleich neben der Tür der Kapelle einen Vorrat an, Kartoffeln waren nun ihr Hauptnahrungsmittel. Einmal kochte Jana eine rote Grütze von den Beeren des Holunderstrauchs. Das war eine angenehme Abwechslung, obwohl die Grütze ziemlich sauer schmeckte. Ein anderes Mal entdeckte Ambromow auf seinen Streifzügen einen wilden Apfelbaum, der ganz kleine Äpfel trug. So konnten sie „Himmel und Erde“ kochen, wie die Kapitänsfrau in Warschau. Sie schnitten die restlichen Äpfel in Scheiben, um sie zu trocknen. Aber sie hatten keine Schnur, um sie aufzufädeln. Aina und Daina fingen an, lange, lange Zöpfe aus Gras zu flechten. Das machten sie sehr geschickt. Wenn man diese Graszöpfe vorsichtig behandelte, konnte man tatsächlich die Apfelscheiben und auch ein paar Kräutersträußchen daran aufhängen. Von Fenstergriff zu Fenstergriff im Kapellen-Häuschen hing all das. Ein angenehmer Duft verbreitete sich.

Ambromow und Ismael legten auch einen Vorrat an Holz an. Das war nicht so leicht, denn die wenigen Bäume, von denen sie Äste sammeln oder abbrechen konnten, waren weit entfernt. Auch Reisig, Kartoffelkraut und trockenes Gras zum Anzünden brachten sie mit. Sorgen machte sich Ambromow nur, wie lange das Benzin in seinem Feuerzeug reichen würde. Aber allmählich wurden sie ruhiger. Sie lebten in den Tag hinein. Ludka und Jana näherten sich immer mehr einander an. Ludka war glücklich, dass das Engel-Mädchen zu ihnen gestoßen war. Allmählich lernte Jana Worte aus den Sprachen der anderen, ohnehin ein Kauderwelsch, das mehr und mehr zu einer ganz eigenen Sprache der Kinder wurde. Sie erfanden sogar neue Worte.

So lagen sie einmal vor der Kapelle im Gras und machten „Wolkenlesen". Sie sagten: „Das ist ein Wolkenschloss, das ein Elefant, ein Hase, eine Kutsche." Es war ein lustiges Spiel ohne Gewinner. Doch immer höher und dunkler türmten sich die Wolken auf, und plötzlich fing es an zu donnern und zu blitzen. Sie rannten sofort ins Haus. Diese Geräusche erinnerten sie an den Krieg. Dann gab es einen Wolkenbruch. Es hagelte sogar – taubeneiergroße Körner! Aber sie saßen im Häuschen und hörten mit Genugtuung dem Regen und Hagel zu, die auf das Dach prasselten. Es war da drinnen richtig gemütlich. In einer Ecke tropfte es allerdings durch das Dach und sie stellten den Kessel drunter. Es entstand eine lustige Tropfenmusik.

Auch der nächste Tag war bis zum Nachmittag wolkenverhangen und voller Regen. Ambromow meinte, sobald es weniger regnete, würde er nach dem Dach schauen. Jana sah ihn besorgt an. „Vielleicht lieber nicht? Hahn auf dem

Dach, Mensch auf dem Boden.“ Aber er verstand sie nicht und lachte nur.

Als die Wolken sich endlich verzogen, und die Kinder wieder nach draußen gehen konnten, machte diesmal Ismael eine „Räuberleiter“ für Ambromow. Und so kletterte er erst aufs hohe Fensterbrett und dann aufs Dach. Er fand die undichte Stelle und bat Ludka, ihm mit Ismaels Hilfe einen von den Dachziegel hinaufzureichen, die er unterm Holunderbusch gesehen hatte. Damit dichtete er geschickt das Loch ab. Gerade war er damit fertig, da rutschte er auf dem nassen Dach aus. Mit einem Schrei stürzte er in die Tiefe. Dort lag er bewegungslos mit geschlossenen Augen. Sofort liefen die Zwillinge zu ihm und rüttelten ihn. In höchster Angst riefen sie: „Bitte nicht sterben! Nicht sterben!“

Die übrigen standen wie erstarrt.

Dann schlug Ambromow die Augen auf.

„Was zerrt ihr denn so an mir herum?“, schimpfte er. Die Zwillinge lachten vor Glück.

Aber als Ambromow sich erhob, kam ein Stöhnen aus seinem Mund. Er konnte nicht auftreten. Er stützte sich auf Ismael und ließ sich vorsichtig wieder auf den Boden sinken. Jetzt knieten die anderen um ihn herum. Das Bein wurde untersucht. „Es wird wohl gebrochen sein.“

„Na, danke“, sagte Ambromow. Er war blass vor Schmerz. Gemeinsam trugen sie ihn in die Kapelle und legten ihn nieder.

„Ein gebrochenes Bein muss man schienen“, sagte Ludka. „Das war beim Frantek auch so, als der vom Birnbaum fiel.“ Wer Frantek war, wollte jetzt niemand wissen. Vielmehr überlegten sie, womit sie das Bein denn schienen sollten und wie. Schließlich kam Ismael darauf, die eine Seite des Dachs vom betrübten Herrn Jesus zu nehmen, ein schmales Brett. Das war fest und gerade und es hatte die richtige Länge. „Wir können es ja später wieder dranmachen“, beruhigte er die aufgebrachten Zwillinge.

Also wurde das Brett geholt. Der betrübte Herr Jesus sagte nichts dazu. Ludka zog ihren Unterrock aus, den riss sie in schmale Streifen. Ismael gab Ambromow ordentlich aus der Zauberflasche zu trinken. Nach einiger Zeit zogen sie ihm gemeinsam die Hose aus, legten das Bein auf das Brett, zogen es gerade und wickelten die Unterrockstreifen fest darum. Ambromow stöhnte. Er bekam noch mehr Schnaps, aber auch ein Stück Schinken, damit ihm nicht schlecht wurde. Dann schlief er ein. Verängstigt saßen alle um sein Lager. Wenn eins von den Mädchen sich ein Bein gebrochen hätte, dann wäre das auch sehr traurig gewesen, aber irgendwie nicht so lebensbedrohlich. Ohne ihren Leitwolf fühlte sich das kleine Wolfsrudel nun völlig hilflos. Und so hockten sie dicht gedrängt um ihren schlafenden Anführer und fürchteten sich.

„Was hast du vorhin gesagt, Jana? Hahn auf dem Dach, Mensch auf dem Boden?“ Ludka sagte das in die Stille hinein und allen kam diese merkwürdige Weissagung zu Bewusstsein.

Das gebrochene Bein würde eine ganze Weile brauchen, um zu heilen. Die Frage, ob sie weitergehen sollten oder ob sie hier auch den ganzen Herbst und Winter bleiben könnten, musste erst einmal nicht beantwortet werden.

Sie wussten nicht recht, welchen Monat sie hatten, die Tageszeit kannten sie ohnehin nicht genau. Sie hatten ja weder Uhren noch Kalender oder Kontakt zu anderen Menschen. Sie richteten sich nach dem Sonnenlicht und der Sonnenwärme. Morgens weckte sie das Trällern einer Lerche, die irgendwo auf dem Feld ihr Nest hatte. Abends gab es zwar keine Nachtigall, aber ein Käuzchen. Es hatte sich unterm Dachgiebel einquartiert. „Schuhu, schuhu", rief es, und das klang ein bisschen unheimlich.

„Das ist doch ein Totenvogel?", sagte Ludka eines Abends. Aber Jana wusste es besser: „Es ruft: Schuhu, schuhu, meine schöne Jungfrau bist du." Ludka sagte es den anderen. „Blödsinn", erwiderte Ambromow und sah Ludka von seinem Lager am Boden an. „Schöne Jungfrau, hol mal Wasser und koche Kartoffeln. Ich hab einen Wolfshunger."

„Bärenhunger heißt das."

„Was denkst du? Haben Wölfe vielleicht keinen Hunger?"

„Fauler Wolf!", schimpfte Ludka und lachte dabei.

So verging die Zeit zwischen Morgen und Abend und Abend und Morgen in der Einsamkeit der verwilderten Felder. Ludka sammelte Mariabettstroh und verteilte die süß duftenden kleinen Blüten im Heu, auf dem sie schliefen.

„Wir könnten uns auch mal wieder richtig waschen. Das macht man doch immer samstags."

„Keiner weiß doch, wann das ist", brummte Ambromow. „Wozu also waschen?"

Aber die Mädchen machten Waschtag. Sie wuschen auch ihre Kleider, die dadurch allerdings nicht wesentlich sauberer wurden, denn es gab ja keine Seife. Aber auf dem Holunderbusch in den Wind gehängt, wurden sie wieder glatt und frisch. Und ein paar lustige Holunderflecken bekamen sie dabei auch.

„Ich wollt, wenn's Rosen schneit, dass mir mein Herz erfreut", sang Jana am nächsten Morgen, und sie sang gleich alle zwölf Strophen des Liedes. Sie lagen noch in ihren Heubetten. Es war gemütlich.

Ambromow humpelte schließlich nach draußen, saß lange in der Sonne und schaute über die weiten Felder. Ismael setzte sich neben ihn. Da sahen sie in der Ferne, weit am Horizont, ein Auto. Es sah winzig klein aus, war eine Weile zu sehen und verschwand dann wieder. Das war beunruhigend. Sie waren also doch nicht allein auf der Welt. Bedeutete das etwas Gutes oder etwas Schlechtes oder gar nichts? Leise sprachen sie darüber.

An diesem Abend schlossen sie die Kapellentür zu.

Es war schon nach Mitternacht, da hörten sie es, das Motorengeräusch. Es wurde stärker und dann wieder leiser, bis es ganz verstummte.

Gott sei Dank, dachten sie. Aber das war verfrüht.

Plötzlich wurde an der Tür gerüttelt. Männer fluchten und versuchten immer wieder, die Tür zu öffnen, traten dagegen und zerrten an der Klinke. Dann war ein Moment Stille, einer der Männer sagte irgendwas, und dann knallten Schüsse. Entsetzt flüchteten die Kinder in den äußersten Winkel der kleinen Kapelle.

Die Tür sprang aus den Angeln. Zwei Taschenlampen suchten den Raum ab, daneben sahen die Kinder Gewehrläufe blinken. Die Männer hinter dem Lichtschein sahen sie nicht.

„Nur Kindergesindel", rief einer und lachte verächtlich. Es waren Russen. „Raus hier! Dawai, dawai!" Und er scheuchte die Kinder mit dem Gewehrlauf, den er wie einen Stock benutzte, zum Ausgang. Der Lichtstrahl seiner Lampe blieb an der Feuerstelle in der Mitte des Raums hängen. „Stoi", rief der Mann und hielt Ismael auf. „Mach Feuer!"

Ismael zitterte so sehr, dass er nicht sprechen konnte. Der Mann riss ihn an der Schulter. „Hier!" Und sein Gewehr deutete auf die Stelle, wo noch ein Rest Asche glomm.

„Das Holz ist draußen. Er muss erst das Holz holen", sagte da Ambromow an seiner Stelle.

„Ach, noch so einer. Gut. Aber du bleibst hier."

Ismael schwankte jetzt zur Tür. Aber er wurde zur Seite gestoßen. Der andere Mann ging vor ihm hinaus und holte einen Korb mit Essen und vielen Wodkaflaschen. Zitternd klaubte Ismael draußen Holz zusammen. Ihm graute. Er konnte ja überhaupt kein Feuer machen. Doch als er wieder hereinkam, hatte Ambromow schon die Asche entfernt und wie immer mit seinem Dolch Späne geschnitzt. Die Männer hatten sich hingesetzt, nachdem sie mit den Gewehren die Lager aus Heu durchwühlt, die Graszöpfe mit den Apfelscheiben und Kräutersträußen zerrissen hatten. „Ein Messer, was?“, sagte einer der Männer höhnisch und schlug es Ambromow aus der Hand.

Als Ismael Ambromows Vorbereitungen sah, fiel ihm das Holz aus der Hand und ein Stein vom Herzen. Ambromow machte Feuer wie immer, und bald flackerten die Flammen und erhellten den Raum. Jetzt erst sahen sie die beiden Männer richtig. Entlaufene Soldaten waren es oder Räuber, entschied Ambromow, Gesindel!

„Glotzt nicht, schafft das Heu heran. Und du, zieh mir die Stiefel aus!“

Die Jungen schoben das Heu in die Nähe der Feuerstelle. Die Männer lagerten darauf. Auf Stallknecht-Art musste Ismael ihnen die Stiefel ausziehen, indem er jedes Mal einen Tritt in den Hintern bekam und dann mit dem Stiefel in der Hand fast gegen die Wand flog. Die Männer lachten. Dann fingen sie an zu essen und noch viel mehr zu trinken.

„Gute Bleibe, hier!“, sagte einer. „Leg mal Holz nach.“

Sie tranken nicht nur so viel, dass sie anfingen, lauthals zu grölen, sondern sie tranken schließlich so viel, dass sie wie tot umfielen.

Gestank und Schnarchen erfüllte den kleinen Kapellenraum. Einer der Männer war auf Ambromow gesunken, gerade als er Holz nachlegen wollte. Ambromow versuchte, sein geschientes Bein unter dem schweren Körper hervorzuziehen. Der Mann rührte sich im Schlaf. „Verdammte Scheiße, ihr Verbrecher“, schrie er. Ambromow schaffte es schließlich, sich zu befreien. Zitternd standen die Jungen auf, versuchten leise, einige der herumliegenden Sachen aufzusammeln, Ismael nahm den Korb mit Essensresten – nun ohne Wodkaflaschen – und sie schlichen hinaus. Ambromow drehte sich noch einmal um und holte die Gewehre.

Draußen saßen die völlig verstörten Mädchen unter dem Holunderbusch. Sie hatten das Schlimmste befürchtet und betrachteten nun die Jungen fast wie eine unwirkliche Erscheinung. Aber was nun? Es dämmerte schon.

Der betrübte Herr Jesus sah sehr, sehr traurig aus. Nachdenklich stützte er seinen Kopf in die rechte Hand. Seine Linke ruhte in seinem Schoß. Er rührte keinen Finger. Wie sollte er auch?

Es war wieder Ludka, die weiterwusste.

„Das Auto!“, sagte sie.

Das Auto? Verwirrt sahen die anderen sie an.

„Ich kann fahren“, erklärte Ludka und fügte hinzu: „Ich bin zu Hause Traktor gefahren, als Papa im Krieg war.“

Alle waren verblüfft und konnten es kaum glauben. Sie sprangen hastig auf. In einiger Entfernung stand das Auto. Da sagte Daina, und es klang sehr verzweifelt: „Unsere Rucksäckchen.“

Es war der letzte Gegenstand, der sie und ihre Schwester noch mit dem Zuhause in Lettland verband. Obwohl Ismael große Angst hatte, ging er noch einmal in die Kapelle und holte leise die kleinen Rucksäcke. Vielleicht war es das, was der betrübte Herr Jesus bewirken konnte: dass die Räuber noch lange, lange nicht aufwachten.

Der Schlüssel steckte. Das Auto sprang an. Ludka legte den ersten Gang ein, löste die Handbremse und fuhr mit einem Ruck los. Sie legte den zweiten Gang ein und bog ab auf den Feldweg. Dabei musste sie immer rauf- und runterrutschen auf ihrem Sitz, denn sie konnte nicht zugleich die Pedale erreichen und über das Lenkrad sehen. Aber es war wie ein Wunder: Es funktionierte! Viele Seufzer der Erleichterung waren zu hören.

So tuckerten sie dahin wie ein Traktor.

„Könntest du nicht schneller fahren?“, fragte Ambromow besorgt.

„Ich bin noch nie schneller gefahren. Und außerdem sehe ich so schlecht.“

„Vielleicht könnten wir zu zweit fahren“, schlug Jana vor. „Jemand kommt auf deinen Schoß, der für dich lenkt, und du machst unten alles mit den Füßen.“

Also hielt Ludka an. Jana kroch nach vorne und setzte sich auf Ludkas Schoß, Ludka tat den Gang rein, ließ langsam die Kupplung kommen und gab Gas. Ein bisschen zu viel, fast wäre Jana, die sich erst ans Lenken gewöhnen musste, in den Graben gefahren. Ambromow schrie: „Nach rechts!“ Und so ging noch mal alles gut. Leider behielt Ambromow seine Aufgeregtheit bei. Während die beiden Mädchen immer besser miteinander zurechtkamen und Ludka zu ahnen begann, wann sie das Gas wegnehmen musste und bremsen, noch ehe Jana es gesagt hatte, spielte Ambromow immer mehr den aufgeregten Mann. Er meinte, ständig sagen zu müssen, was die Mädchen machen sollten. Er wäre eben selbst gern gefahren, obwohl er ja noch nie in seinem Leben Kupplung und Gaspedal eines Autos betätigt hatte und dazu jetzt auch noch ein steifes Bein hatte. Schließlich sagte Ludka wütend: „Halt die Klappe, oder du musst dich nach hinten setzen.“ Da schwieg Ambromow beleidigt.

Es wurde schon Mittag, die Sonne schien heiß. Inzwischen fuhren sie auf einer holprigen Straße, und allmählich bekamen sie das Gefühl, dass die beiden Männer sie nun nicht mehr einholen konnten. Aber sie wagten nicht anzuhalten.

„Warum hast du eigentlich die Gewehre mitgenommen?“, fragten Jana und Ludka.

„Ich musste sie doch entwaffnen“, antwortete Ambromow wie ein Mann, der weiß, was gemacht werden muss.

„Schmeiß sie weg!“ Aber Ambromow schüttelte nur den Kopf.

„Ambromow! Es ist gefährlich, wenn die irgendjemand bei uns findet. Wo sollen wir sie denn herhaben? Und was denken andere, was wir damit machen? Wir sind doch keine Marodeure!“ Jana wurde richtig laut und wütend. Es brauchte keine Übersetzung, alle verstanden auch so, was sie meinte.

„Soll ich anhalten?“, fragte Ludka von unten.

„Nein, bloß nicht“, rief Ismael.

Aina und Daina wollten auf keinen Fall Marodeure sein, obwohl sie nicht wussten, was das war. „Ambromow, schmeiß die Dinger weg“, riefen sie darum wie aus einem Munde. Also warf Ambromow die Gewehre im Vorbeifahren ins nächste Gebüsch.

Bald darauf machte die Straße einen Bogen und führte direkt in ein Dorf hinein. Es wäre zu spät gewesen, einen anderen Weg zu wählen. „Duckt euch, da hinten“, rief Jana, und Ludka wiederholte es.

Ohne das Tempo zu verringern, fuhren sie durch den Ort. Ihre Angst, angehalten zu werden, war unbegründet. Niemand beachtete sie. Nur ein Kind schaute zum Fenster raus und winkte Jana zu. „Wahrscheinlich fragt es sich, wo wir wohl wohnen.“

Der Wald

Tatsächlich wohnten sie nun im Wald in einem alten Militärauto.

Sie waren noch ein großes Stück gefahren. Es wurde schon wieder Abend, als die Straße sie in einen dichten Wald führte. Ludka sagte gerade, sie sei ganz steif und könne bald nicht mehr, da blieb das Auto von alleine stehen. Jana rutschte von Ludkas Schoß. Ludka drehte den Zündschlüssel, aber das Auto sprang nicht mehr an, und das Geräusch des Anlassers wurde immer heiserer. Alle stiegen aus und reckten die steifen Glieder. Ludka und Ambromow versuchten lange, die Kühlerhaube zu öffnen. Als sie den Mechanismus dafür endlich gefunden hatten, half das aber auch nicht weiter. Niemand kannte sich aus, niemand wusste, was es mit all dem auf sich hatte, was da zum Vorschein kam. Was also konnte kaputt sein? Eins aber fiel ihnen ein: Ein Auto braucht Benzin. Sie öffneten den Tankdeckel, steckten einen Stock hinein und zogen ihn ganz und gar trocken wieder heraus. Was jetzt? Schließlich meinte Ambromow, sie müssten das Auto von der Straße schieben, sonst würde es ja jeder gleich sehen. Ludka löste die Bremse, und alle schoben das Auto gemeinsam auf eine Wiese, wo es langsam die Böschung hinunterrollte und im Gebüsch verschwand. Da stand es nun, so, als ob es da schon immer gestanden hätte.

„Könnte das nicht jetzt unser Haus sein?“, fragte Aina und legte überlegend den Kopf schief.

„Natürlich!“, sagte Ambromow.

Sie holten den Korb mit dem Essen heraus, in dem sich auch Ambromows Messer wiederfand. Im Moos sitzend aßen sie Brot, Wurst und saure Gurken – alles, was die Räuber irgendwo gestohlen haben mussten. Es war dunkel, als sie zurück ins schützende Auto krochen. Dort schliefen sie, eng gedrängt, völlig erschöpft ein. So begann ihr Waldleben.

Am nächsten Morgen durchsuchten sie den Kofferraum. Der größte Schatz war ein Sack Weizenkörner. Aber wie konnte man die essen? „Man müsste eine Mühle haben. Oder vielleicht zwischen zwei Steinen?“ Es war Ludka, die das sagte.

Auf der Suche nach solchen Steinen, zwischen denen sie die Körner zerreiben könnten, fanden sie einen Bach, ein dünnes Rinnsal, aber immerhin. Es war wie ein Geschenk.

Und noch mehr Geschenke hatte der Wald, nämlich Blaubeeren, Preiselbeeren und wilde Erdbeeren. Sie aßen sich satt daran. Dann machten sie sich auf den Weg zurück zum Auto. Ein paar passende Steine hatten sie nicht gefunden.

Sollten sie den Weizen einfach mal kochen? Aber leider war der Kessel in der Kapelle geblieben.

„Hier“, rief Ismael und hielt zwei Stahlhelme hoch, die er im Kofferraum des Autos gefunden hatte. Er riss das

Stofffutter heraus und ging hinunter zum Bach, um mit den Helmen Wasser zu holen. Er schrubbte sie mit einem Grasbüschel aus. In einem war eine Delle. Da ist mal eine Kugel abgeprallt, dachte er. Aber weiter wollte er nicht darüber nachdenken. Er füllte die Helme mit Wasser und brachte sie vorsichtig wieder zum Auto.

Die anderen hatten unterdessen einen Lagerplatz mit einer Feuerstelle bereitet. Holz gab es ja genug hier im Wald, und die Flamme flackerte auch schon. Ambromow nahm nur völlig trockenes Holz, damit sich möglichst wenig Rauch entwickelte. Lange überlegten alle, wie man die Stahlhelme über das Feuer hängen könnte. Schließlich konstruierten Ludka und Jana ein Gestell aus dicken Ästen, darauf legten sie eine Radfelge, die sie ebenfalls im Kofferraum gefunden hatten. Die Öffnung in der Mitte bot gerade einem Stahlhelm Platz, und so begannen sie, den Weizen zu kochen.

Der Kofferraum des Autos barg noch viele Überraschungen. Ismael fand einen Karton mit lauter runden weißen Dingern. Vorsichtig hob er ihn an.

„Schaut mal, was ist das?"

Die anderen lachten. „Das sind Eier, Hühnereier, Ismael."

Ismael schaute verwirrt in den Karton. Er konnte sich nicht an Eier erinnern. „Was macht man damit?"

„Sieh mal", sagte Ludka und nahm eines davon aus dem Karton. Sie hatte einen Eckzahn, der spitz aus der Reihe tanzte. An den klopfte sie nun vorsichtig mit dem Ei und machte so zwei kleine Löcher in die Schale.

Dann saugte sie das Innere des Eies heraus. Die andern sahen fasziniert zu. „Schmeckt das denn?“

Bereitwillig „piekte“ Ludka nun für die anderen Löcher in die Eier. Jeder saugte eins aus, und es schien ihnen zu schmecken. Aber Ismael sagte: „Ich will erst wissen, was drin ist.“

Da schlug Ludka ganz vorsichtig ein Ei am Stahlhelmrand auf. Etwas von dem glasigen Eiweiß floss dabei über ihre Finger in den kochenden Weizenbrei und wurde sofort schneeweiß. Ludka zeigte Ismael die beiden Eihälften. In einer war das gelbe Dotter zu sehen.

„Eier sind sehr kostbar“, sagte Ludka. „Und jetzt iss es.“

Aber Ismael konnte sich nicht überwinden, dieses merkwürdige Glibberzeug in den Mund zu nehmen. Da schüttete Ludka das Ei in den Brei und verrührte es mit einem Stock. Es bildete kleine weiße und gelbe Fäden. Mit ihrem Kopftuch als Topflappen nahm sie den Helm vom Feuer und stellte ihn auf die Erde. Sie häufte ein wenig Waldboden und Tannennadeln um den Helm, damit er nicht umkippte. Alle warteten nun ein paar Minuten, und nachdem der Brei abgekühlt war, konnte jeder mit den Fingern etwas davon nehmen. Man musste lange darauf herumkauen.

Im Wald gab es viel zu finden. Am Abend brieten sie Pilze, die sie gesammelt hatten. Sie steckten sie auf dünne Stöcke, so wie sie es früher mit den Fischen gemacht hatten. Auch das brauchte ein Weilchen, doch wenn die Zubereitung des Essens länger dauerte, schien es auch mehr zu sättigen. Anschließend gingen alle an den Bach, um zu trinken und die Stahlhelme zu füllen. Jana tat schon ein paar Hände voll Weizen dazu, für den nächsten Morgen, und stellte die Helme zum Kochen bereit.

Ambromow hatte den Kofferraum des Autos ganz geleert. Er hatte noch eine Schachtel Munition gefunden und betrachtete die Patronen, die da wie kurze metallene Bleistifte ganz harmlos nebeneinander lagen. Es gruselte ihn, aber zugleich war da auch ein Prickeln in den Fingerspitzen. Er nahm die Schachtel und stellte sie etwas abseits an den Hang. Später würde er überlegen, was er damit machen sollte.

Dann montierte er die vorderen Sitzlehnen ab und auch die zum Kofferraum. So konnten sich jetzt alle zum Schlafen ausstrecken, wie in einem richtigen Häuschen.

Am nächsten Morgen, als Ambromow das Feuer angezündet hatte und Jana den „Kochhelm", wie sie jetzt sagte, auf den „Radfelgenherd" stellen wollte, sah sie, dass der Weizen sich über Nacht verändert hatte. Er war aufgeplatzt, und das Wasser war braun. Vielleicht ist er schlecht geworden, dachte sie. Aber sie fand es zu schade, ihn wegzutun. Also kochte sie ihn. Als es so weit war, streuten die Zwillinge ein paar Blaubeeren darüber. Zum allgemeinen Erstaunen schmeckte der Brei diesmal viel besser, wie richtige Grütze. So weichten sie den Weizen von nun an immer über Nacht ein. Und schließlich fanden sie heraus, wenn man die Weizenkörner nur lange genug ins Wasser tat, dann konnte man sie auch roh essen, und sie schmeckten wie Nüsse.

Waren in der Kapelle ihr Hauptnahrungsmittel die Kartoffeln gewesen, so war es jetzt die Weizengrütze. Und hatten sie dort Äpfel und Kräuter getrocknet, so waren es jetzt Beeren und Pilze.

Ambromow und Ismael montierten zwei der Kotflügel des Autos ab. Darauf legten sie die Beeren oder Pilze und stellten die Bleche in die Sonne. Wenn die Früchte getrocknet waren, füllten sie sie, in Blätter gehüllt, in die beiden Rucksäcke der Zwillinge.

„Damit wir etwas für später haben", sagte Ludka und fügte bedauernd hinzu: „Die schönen Äpfel und Kräuter in der Kapelle! Alles umsonst!"

Vom Reserverad des Autos zog Ambromow mit viel Mühe den Mantel ab und schnitt Schuhsohlen daraus. Mit ein paar herausgerissenen Kabeln konnten Sohlen an die alten, halb zerrissenen Schuhe gebunden werden. Das war wirklich ein Gewinn.

„Ambromow wird einmal ein Schuster", sagte Aina und schaute stolz auf ihre ausgestreckten Füße. „Aber sag, ist dein Bein jetzt eigentlich geheilt?"

Alle waren so an den stets humpelnden Ambromow gewöhnt, dass sie die Verletzung ganz vergessen hatten. Jetzt setzten sie sich um ihn herum, und Ludka wickelte den Verband ab. Das Bein sah weiß und dünn aus. Vorsichtig erhob sich Ambromow, gestützt auf Ludka, und vorsichtig trat er auf. Das Bein hielt stand, aber für richtiges Laufen war es noch lange nicht zu gebrauchen. „Eigentlich war es mit dem Brett einfacher", sagte er.

„Aber das Brett haben wir uns nur geliehen, vom betrübten Herrn Jesus. Wir wollten es ihm doch zurückgeben!" Daina stütze unwillkürlich ihren Kopf in die Hand wie er. Alle fühlten in diesem Moment das Chaotische ihrer immerwährenden Flucht besonders deutlich. Irgendetwas Tröstliches mussten sie tun. Und so schmückten sie das Brett mit Blumen und ließen es im Bach davonschwimmen.

In dieser Nacht erwachte Ludka durch ein Kratzen draußen am Blech des Autos. Sie setzte sich auf und sah direkt in die grün glühenden Augen eines Ungeheuers. Es starrte sie durch die Windschutzscheibe an. Sie wagte kaum zu atmen. Verzweifelt versuchte sie, lautlos jemanden zu wecken, was ihr nicht gelang. Eine Weile stand das Ungeheuer da, mit starrem Blick, sprang dann von der Kühlerhaube und verschwand. Am Morgen erzählte Ludka den anderen, was sie gesehen hatte. Die meinten, dass das wohl ein Alptraum gewesen sein musste. Aber als sie nach draußen kamen, sahen sie, dass die Grütze im Kochhelm leer gefressen war, und von den letzten Eiern, die sie unter ein paar Zweigen gelagert hatten, fanden sie nur noch die verschmierten Schalen. Die Zwillinge fingen sofort wieder an zu weinen, und auch die anderen waren betroffen.

„Jedenfalls war es ein Tier", sagte Ambromow. „Aber welches?"

Den ganzen Tag trauten sie sich nicht weit weg und gingen auch nur zu zweit zum Wasserholen. Aber es geschah nichts, und kein Tier ließ sich blicken. In der Nacht wollten sie reihum Wache halten.

Als Ambromow an der Reihe war, hörte er etwas ums Auto streichen und sah schließlich im schwachen Mondlicht das Ungeheuer auf die Kühlerhaube springen. Als er erkannte, dass es ein Fuchs war, lächelte er. Er weckte die anderen leise, und dann, mit einem Mal, schrieen und tobten sie alle so, dass der arme Fuchs einen gewaltigen Schreck bekam und auf Nimmerwiedersehen davonrannte.

Langsam wurde es kühler, und es regnete wieder. Ja, eines nachts gab es ein richtiges Unwetter. Es goss in Strömen und donnerte und blitzte ohne Unterlass. Sie lagen im Auto wie im Bauch eines Walfisches, der durch die tobende See glitt. Der Sturm war so heftig, dass er das Auto schwanken ließ. Äste wurden abgerissen und fielen auf das Dach. Und dann gab es eine Explosion und ein ohrenbetäubendes Knattern zerriss die Nacht, so als ob hundert Gewehre auf einmal schießen würden und gar nicht mehr aufhörten. Sie glaubten, dies sei das Ende und es dauerte eine Weile, bis sie begriffen, dass das Auto unversehrt blieb, und sie im Bauch ihres Fisches weiter sicher durch das Toben schwammen. Der Regen rauschte wie die Sintflut.

„Sing was“, bettelte Ludka. Und Jana sang:

> „Wie mit grimmem Unverstand
> Wellen sich bewegen,
> Nirgends Rettung, nirgends Land
> Vor des Sturmwinds Schlägen.

Einer ist, der in der Nacht,
Einer ist, der uns bewacht:
Christ Kyrie, komm zu uns auf die See.

Wenn vor unserm Angesicht,
Mond und Sterne schwinden,
Wenn des Schiffes Ruder bricht,
Wo dann Rettung finden?
Einer ist, der in der Nacht,
Einer ist, der uns bewacht:
Christ Kyrie, komm zu uns auf die See."

Während sie mit ihrer sanften, hellen Stimme das alte Seefahrerlied sang, ließ das Unwetter langsam nach. Draußen und drinnen wurde es ruhig. Nur der Regen fiel weiter auf das Dach des Autos. Aber nun hatte dieses Geräusch etwas Beruhigendes, so wie die Tränen der Erleichterung, die ihnen über die Wangen liefen.

„Wie kommt es, dass du in so einem Augenblick so ruhig singen kannst?", fragte dann Ambromow. Seine Stimme klang belegt, denn er wusste sehr wohl, woher das Gewehrknattern stammte. Auch Jana schien es zu wissen. „Gut, dass du das Zeug wenigstens weit genug weggestellt hast, das nun der Blitz gezündet hat", sagte sie und sah Ambromow vorwurfsvoll an. Nur Ludka ahnte, wovon die Rede war. Ismael hingegen fragte unbekümmert: „Ja, woher kannst du all die schönen Lieder?"

Jana wurde traurig. „Von meiner Oma", sagte sie. „Ich

war viel bei ihr zu Hause in der riesigen Stadt Berlin. Oft kamen nachts die feindlichen Flugzeuge und warfen ihre Bomben ab. Das fing immer mit dem Sirenengeheul an. Dann mussten alle in den Luftschutzkeller. In einer Nacht wurde unser Haus getroffen, und wir wurden im Keller verschüttet. Da haben alle geweint und laut gejammert. Aber meine Oma hat dieses Lied gesungen, laut und fest. Da wurden die Leute ganz still und warteten geduldig auf Rettung. Und ich habe gedacht: So eine Oma möchte ich auch mal werden, wenn ich groß bin."

Nach einer Pause fügte sie hinzu: „Und wir wurden von den Luftschutzleuten ausgegraben und gerettet."

„Warum bist du nicht bei deiner Oma geblieben?", fragte Ludka.

„Das wollten meine Eltern nicht."

„Wegen der Lieder?"

„Ja, auch wegen der Lieder. Und wegen der Brote."

„Was denn für Brote?"

„Wenn Oma mich und meine Eltern in Warschau besuchte, dann warf sie immer Brote über die Mauer. Manchmal war ich dabei und habe ihr geholfen. Ich kann gut werfen."

„Warum habt ihr das gemacht?"

„Hinter der Mauer hungerten die Menschen. Dieser Teil der Stadt hieß ‚das Getto', und man durfte nicht hinein, um den Menschen etwas zum Essen zu bringen. Einmal nahm uns ein Soldat fest und brachte uns zu meinem Vater. Der wurde fuchsteufelswild und schrie: ‚Kroppzeug ernährt man nicht. Was soll unsere Tochter noch von dir lernen?' Als

Oma nicht damit aufhörte, Brot über die Mauer zu werfen, brachte er sie zurück nach Berlin. Ich habe sie danach nicht mehr wiedergesehen. Und dann war sowieso bald alles kaputt und aus."

„Jetzt sind wir das Kroppzeug", sagte Aina traurig und dachte daran, dass ihr Weizenvorrat zu Ende war. Was sollten sie nun essen? Wer warf ihnen Brot über die Mauer?

Das Schloss

Zu dieser Zeit geschah in einem kleinen Ort Südpolens etwas sehr Merkwürdiges. Es begann damit, dass ein tüchtiger junger Polizist zwei Diebe auf frischer Tat ertappt und festgenommen hatte. Zugegeben, es waren sehr kleine Diebe, ein sechsjähriges Mädchen und ein achtjähriger Junge, aber trotzdem: Man musste dem Einhalt gebieten. Der junge Polizist brachte die Diebe also zu seinem älteren Kollegen, der meistens in der Amtsstube saß. Der sperrte die beiden in die Zelle und gab ihnen am Abend die doppelte Ration Brot, weil sie ihm leidtaten. Er hoffte, dass ihre Eltern sie bald abholen würden. Aber niemand kam. So sollten sie am nächsten Tag in die Stadt gebracht werden.

Die helle Vormittagssonne schien schon in die Amtsstube, da ging auf einmal die Tür auf, und ein Engel schwebte herein. Der Polizist sagte später nicht Engel, sondern Wesen. Er erzählte das natürlich nicht seinem jungen Kollegen, sondern seiner Frau, unter dem Siegel der Verschwiegenheit. Ein Wesen in weißem Gewand und mit langem goldenen Haar habe ihn aus sternenblauen Augen eindringlich angesehen und angelächelt. Es sei auf ihn zugekommen, habe ihn an der Hand genommen und sei mit ihm zur Zelle geschwebt. Ja, es sei wie ein Schweben gewesen! Dort habe das Wesen seine Hand geführt, und er habe die Zellentür aufschließen müssen. Ja doch, müssen! Wie hätte er sich denn widersetzen können? Er habe kaum gemerkt, dass die zwei kleinen Diebe verschwanden. Das Engel-Wesen habe seine Hand und seine Wange gestreichelt und unendlich süß gelächelt. So wohl sei ihm seit seiner Kindheit nicht mehr gewesen. Aber ehe er sich bewusst werden konnte, was mit ihm geschah, sei die Erscheinung wieder verschwunden.

Hatte er das alles nur geträumt? Wohl kaum, denn als am Abend dann der junge Polizist kam, um die kleinen Diebe in das Stadtgefängnis zu bringen, war die Zelle leer. Er konnte kaum glauben, was er sah. Waren die Kinder so dünn gewesen, dass sie durch die kleine Luke oben in der Wand hatten nach draußen kriechen können? Aber wie waren sie da hinaufgelangt? Besser, man verschwieg den peinlichen Vorfall, dachte der junge Polizist. Aber die Frau des alten Polizisten verschwieg ihn nicht. Sie erzählte ihn ihrer besten Freundin und die der ihren und so weiter und so weiter. Und so verbreitete sich die Meinung, solange Polizisten in ihren Amtsstuben von Engeln besucht würden, sei Polen noch nicht verloren. Andere sagten allerdings, man solle den Polizisten verbieten, während ihrer Dienstzeit so viel Wodka zu trinken.

Nachdem die Kinder den Wald verlassen hatten, waren sie eine Weile durch die verwilderten Felder gewandert. Nun mussten sie irgendeine neue Bleibe finden, und so quartierten sie sich in einer Scheune ein, in der noch Strohreste waren. Sie beschlossen, dass immer zwei von ihnen zusammen in den kleinen Ort gehen sollten, um dort zu betteln. Dazu waren Aina und Daina am besten geeignet, doch allein konnten sie nicht gehen. So wurde Aina von Ambromow begleitet, der sich im Hintergrund hielt, und Daina von Ismael. Wenn sie Geld bekamen, kauften sie eine Kleinigkeit im Dorfladen. Meist bekamen sie beim Betteln Brot, Obst oder Gemüse, manchmal auch böse Worte und Fußtritte.

Daina und Ismael kamen eines Abends nicht zurück. Die ganze Nacht waren die Übrigen wach vor Sorge. Im Morgengrauen gingen sie einzeln in den Ort, um zu erfahren, was geschehen war. Ludka gelang es schließlich, etwas herauszubekommen. Als der Bäcker sein Geschäft aufmachte, hörte sie, wie er seiner ersten Kundin erzählte, dass ein Bengel bei ihm ein Weißbrot gestohlen habe. „Na, den hat die Polizei aber gleich mitgenommen, ebenso wie seine Komplizin." – „Seine Komplizin?" – „Ja, so eine freche Krott, fünf oder sechs Jahre alt."

Die Kundin schüttelte den Kopf. „Da hätten Sie doch nicht gleich die Polizei rufen müssen. Das sind doch Kinder! Und wegen eines einzigen Weißbrots!"

Aber der Bäcker sagte: „Wehret den Anfängen! Und er wandte sich ab. „Der Nächste, bitte."

Ludka erzählte es den anderen, als sie sich, wie abgemacht, unter der Brücke trafen. Jana ging an den Bach, der munter unter der Brücke plätscherte und wusch sich Gesicht und Hände. Sie machte ihre Zöpfe auf und ließ sich von Ludka die Haare kämmen. Die andern sahen ihr fragend zu. Was sollte das jetzt? Aber als Ludka fertig war mit dem Kämmen, schien von Jana ein Leuchten auszugehen. Selbstsicher sagte sie: „Ich mach das schon!" und schwebte davon ... So entstand die Legende vom Engel und der Polizei.

Als sie alle wieder in der Scheune versammelt waren, kauerten sie sich eng aneinander und versuchten, sich zu trösten. Sie waren wie Vögelchen, denen immer mehr Federn ausgerissen werden, bis sie eines Tages gar nicht mehr fliegen können.

Es war Ismael, dem es besonders schlecht ging. Er hatte dieses Mal mehr gelitten als Daina. Eingeschlossen zu sein, war für ihn schlimmer als der Tod.

Einmal, so wusste er, musste es eine Zeit vor der Zeit des Grauens gegeben haben. Eine schöne Zeit in einer schönen kleinen Stadt. Aber die meiste Zeit seines kurzen Lebens war er der Willkür von Wachposten im Lager Maly Trostinez ausgeliefert gewesen. Kein Vergleich zu dem fast gemütlichen Dorfgefängnis und dem alten Polizisten, der ihnen Brot gab. Aber es war das eiserne Klirren der sich schließenden Gittertür gewesen, das Geräusch des Schlüssels in dem riesigen Schloss, was ihm Übelkeit verursachte. Er war fast ohnmächtig geworden und hatte keinen Bissen von dem Brot runterkriegen können. Inständig flehte er, dass dies alles doch ein Ende haben möge. „Gott möge mich hören." Hatte sein Vater ihm nicht gesagt, dass dies die Bedeutung seines Namens Ismael war? Er schrie im Schlaf.

Daina begann zu ahnen, was es mit seinem nächtlichen Schreien auf sich hatte. Aber im Gegensatz zu ihm hatte sie dieses Mal keine große Angst. Sie hatte etwas Ähnliches noch nie erlebt. „Gottchen wird helfen", sagte sie sich, flüsterte ihr Nachtgebet und aß das ganze Brot alleine auf.

Und schließlich kam ja auch Jana und befreite sie. Damit bestätigte sie die Vorstellung von der Tätigkeit eines Engels.

Ismael erinnerte sich an die Geschichte von Daniel in der Löwengrube, die sein Vater ihm immer wieder hatte erzählen müssen. Und er meinte, seine flüsternde Stimme zu hören: „Mein Gott hat seinen Engel gesandt, der hat den Löwen den Rachen gestopft, sodass sie mir kein Leid antaten, weil ich vor Gott unschuldig bin …"

Ambromow hielt solcherlei Geschichten für Blödsinn. Dennoch war Ismael sein bester Freund und er war heilfroh, dass er jetzt wieder neben ihm saß.

Noch in der Nacht packten sie ihre Sachen und zogen weiter.

Wieder einmal hatten sie weder Weg noch Ziel. Immer wurden sie gezwungen, einen Ort zu verlassen und einen nächsten zu suchen. Wie lange würde das noch so gehen? Das einzig Dauerhafte war, dass sie sechs waren, die zusammenhielten.

„Es gibt ein Märchen", sagte Jana. Bevor sie weitersprach, schüttelte sie ein Hustenanfall. Endlich hatte sie wieder Luft. Es heißt: „Sechse kommen durch die ganze Welt." Was denn darin vorkomme und wie es ende, wollten die andern wissen. Aber Jana wusste es nicht mehr. Jedenfalls hatte jeder von den Sechsen eine besondere Fähigkeit und Aufgabe.

Die Kinder überlegten, was sie denn so könnten. Das brachte sie noch enger zusammen. Ambromow war der Feuermacher. Ludka konnte drei Sprachen und hatte die besten Ideen, wenn alle andern schon verzweifeln wollten. Ismael jedoch fand, dass an ihm nichts Besonderes wäre und er nichts könne. Aber Daina sagte sofort: „Ismael kann am besten mein Freund sein!“ Sie strahlte ihn an.

Die andern lachten, gaben ihr aber Recht: Wer war denn noch einmal zu den Räubern hineingegangen und hatte die Rucksäcke geholt? War er nicht wirklich der treueste Freund? Ismael freute sich, doch insgeheim wünschte er sich, Ambromow hätte das über ihn gesagt.

Und die kleinen Mädchen? „Wir hatten die beste Ziege“, sagte Daina traurig. Aber ihre Schwester hielt ihr den Mund zu. „Fang nicht wieder damit an. Wir sind die besten Zöpfeflechter der Welt, und wir können waschen, kochen und Pilze sammeln.“ Das waren wichtige Dinge.

Janas Aufgabe sollte es sein, so meinte Ludka, jeden Morgen ein Lied zu singen, damit man fröhlich aufstehen könne. Der Morgen sei doch immer das Schlimmste, wenn man die Augen aufmachen müsse in all der Fremde ringsum. Die andern stimmten ihr zu. Und Jana fing gleich am nächsten Morgen damit an, als noch vereinzelt blasse Sterne am Himmel standen. Das Lied ging so:

„Der Morgenstern ist aufgegangen.
Er leucht' hervor zu dieser Stunde,
Wohl über Berg und tiefem Tal.
Voll Freud singt uns die liebe Nachtigall."

Gleich gab es lebhafte Fragen. Was war denn eine Nachtigall? Und der Morgenstern, war das der, den sie beim Erwachen noch sehen konnten? Egal. Janas helle Stimme war das Wichtigste, wie sie auf und ab durch die Melodie wanderte und im „Tahahahal" verweilte. Ein paar Tage sang Jana das gleiche Lied, dann konnten es alle mitsummen. Und kein Morgen war mehr fremd.

Auf ihrem Weg kamen sie manchmal an ausgebrannten Panzern vorbei, an Bombenkratern und zerschossenen Bäumen und vielen, vielen Ruinen. Die Zerstörungen des Krieges waren noch überall zu sehen. Doch Aina sah auch anderes. „Guckt mal", sagte sie zuversichtlich, „die Pflanzen wollen es wiedergutmachen. Die kaputten Bäumen sprießen wieder, in dem Krater ist ein kleiner Teich mit Entengrütze entstanden, und auf dem Panzer wächst Gras, dort hat sich ein Vogel sein Nest gebaut." Aina strahlte, als sie das alles sah.

Einmal kamen sie wieder an ein Kartoffelfeld. Ambromow machte Feuer aus dem alten Kartoffelkraut. „Ach, riecht das gut", riefen Aina und Daina wie aus einem Munde. Und auch Ludka freute sich. Jana, das Stadtkind, und die Jungen wussten nicht, was daran so gut sein sollte.

Ludka grub noch ein paar vergessene Kartoffeln aus und warf sie in die Glut. Die Zwillinge halfen ihr.

„Die werden doch ganz schwarz", protestierte Ismael.

Ja, außen waren sie dann wirklich kohlschwarz, aber innen weiß und weich, und sie schmeckten sehr gut, viel besser als gekocht.

Als sie satt waren, legten sie sich müde auf den Boden um das Kartoffelfeuer herum. Nur Jana saß aufrecht. Etwas ging in ihr vor. Plötzlich öffnete sie den Mund und tat einen ihrer seltsamen Aussprüche: „Bald werden wir ein schönes Schloss finden." Dann stockte sie und fuhr leise fort: „Aber ich glaube, ich werde alles verderben."

Nach einigen Tagen kamen sie zu einem kleinen Wald. Ein schnurgerader Weg zwischen schnurgeraden Baumreihen führte zu einem Haus mit vielen Türmchen und großer Treppe zum Eingang. Ein Schloss, tatsächlich! Ein Schloss in einem Park. Es lag da wie ausgestorben, die meisten Fensterscheiben waren zerbrochen, die Wände zeigten Kugeleinschüsse. Ob das eine Bleibe für sie war?

Es wurde schon dämmrig. Vorsichtig schlichen sie heran und schauten durch eines der Fenster in eine leere Stube. Doch dann schreckten sie zusammen. Wie aus dem Nichts kam plötzlich ein riesiger schwarzer Hund in weiten Sätzen angerast, bellte grauenhaft und verbiss sich in Ludkas Rock.

Ambromow trat nach ihm. Der Hund ließ Ludka los und sprang nun ihn an. Da erschallte eine hohe schrille Stimme: „Pluto! Vien ici!" Und der Hund ließ augenblicklich von Ambromow ab und rannte zurück, dorthin, wo jetzt eine kleine alte Frau stand, kaum größer als der Hund. Die Kinder waren unfähig, sich zu rühren. Langsam kamen Hund und Frau auf sie zu. Als die Frau sah, wer da vor ihr stand und sich aneinander drückte, entspannte sich ihr Gesicht. Sie lächelte, aber ihre kohlschwarzen Augen blieben ernst.

„Was wollt ihr hier?“, fragte sie.

Alle starrten auf die kleine Erscheinung, die mit ihrer zarten, weißen Hand den riesigen Hund am Halsband hielt und auf deren Kopf sich hundert graue Löckchen einen Spaß machten.

Die Frau sah auf die Habe der Kinder und ihre verstaubten und zerschlissenen Schuhe mit den Autoreifensohlen, und allmählich schien sie zu begreifen, wen sie vor sich hatte.

„Na, dann kommt mal mit.“ Und als sich wieder niemand rührte, wiederholte sie es auf Russisch. Da endlich kam Bewegung in die Gruppe.

Pluto knurrte nun missbilligend. Aber die Frau schalt ihn: „Stell dich nicht an!“

Sie gingen durch einen kleinen Seiteneingang ins Haus, durchquerten das leere Treppenhaus, in dem ihre Schritte gespenstisch hallten, und betraten eine riesige Küche. In der Mitte war ein gewaltiger Herd. Rundherum aber standen Möbel, die eigentlich nicht in eine Küche gehörten, sogar ein Bett.

„Jetzt legt mal eure Sachen da in die Ecke und setzt euch.“

Der Hund stand drohend neben der Frau. Die Kinder taten, wie ihnen geheißen. Als sie alle am großen Esstisch saßen, sagte die Frau: „Ich heiße Aglaija, und das ist Pluto. Wenn ihr meine Gäste sein wollt, dann ist es nur recht und billig, dass ihr euch vorstellt und mir eure Namen sagt."

Die Kinder staunten. Was war billig? Und was sollten sie sich vorstellen? Es dauerte etwas, bis sie begriffen, was gefragt war. Die Zwillinge standen zuerst auf, machten einen Knicks und sagten wie üblich aus einem Mund: „Aina und Daina."

Aglaija nickte beifällig und fragte: „Und welche ist welche?"

Die Mädchen sahen sich an, kicherten, und jede zeigte auf die andere. Ludka schaltete sich ein. „Ich bin Ludka", sagte sie schnell, „und das da ist Aina", und wies auf das rechte der Mädchen. Dann nannten alle anderen ihre Namen.

Aglaija hörte aufmerksam zu. „Und jetzt wollt ihr hier übernachten? Dachtet, das Haus steht leer, wie so viele andere? Nun, es ist auch leer, bis auf diese Küche, wo ich mit Pluto wohne. Früher mal war das Schloss voller schöner Sachen. Aber dann kamen im Krieg die Deutschen und nahmen es unserer Familie weg. Als sie den Krieg verloren hatten, kamen die Russen und nahmen es ihnen weg. Dann stand das Schloss leer und jeder, der vorbeikam, nahm sich, was er brauchen konnte. Jetzt bin ich wieder da, aber sonst ist alles weg. Komisch, nicht?" Die Kinder wussten nicht so recht, ob sie das komisch finden sollten, und blieben stumm.

„Na, wisst ihr was? Ich mach euch jetzt mal einen Gerstenkaffee. Das wird euch gefallen." Damit stand Aglaija auf, schüttete Gerste aus einer Tüte in eine kleine Pfanne und röstete sie auf dem Herd. „Unter ständigem Umrühren muss man das machen“, sagte sie. Es roch gut. Langsam wurde die Gerste goldbraun.

Dann griff Aglaija nach einem Kästchen mit einer Drehkurbel, drückte es Ambromow in die Hand und schüttete einen Teil der gerösteten Gerste hinein, die er nun mahlen musste. Ambromow machte ein verdutztes Gesicht. Ludka musste lachen. „Das ist eine Kaffeemühle“, sagte sie. Unterdessen stellte Aglaija einen Topf mit Wasser auf den Herd und wärmte eine Kaffeekanne vor. Sie bat Aina und Daina, die Tassen aus dem Schrank zu holen. Es gab tatsächlich acht Tassen mit kleinen blauen Blumen drauf.

„Eine könnt ihr wieder reinstellen“, sagte Aglaija. „Pluto trinkt keinen Kaffee. Er mag ihn nicht.“ Ein erstes Lächeln huschte über die Gesichter.

„So, jetzt zieh mal die kleine Schublade aus deiner Mühle“, sagte Aglaija zu Ambromow. Sie füllte mit einem Esslöffel die gemahlene Gerste – den sogenannten Kaffee – in die Kanne und brühte sie auf. Es roch ungewöhnlich. Dann setzte sich jeder vor eine Tasse und nach ein paar Minuten – „Der Kaffee muss sich erst setzen“, erklärte sie – goss Aglaija das braune Getränk durch ein kleines Sieb in jede Tasse. Es gab sogar kleine, weiße Stücke Zucker, für jeden eins, und kleine Löffel, mit denen man den Kaffee umrühren konnte. Aglaija zeigte es, und alle machten es nach. Vorsichtig schlürften sie das heiße Getränk. Es machte zwar nicht satt, schmeckte aber merkwürdig. Eigentlich gut.

„Ich habe nur noch wenig Brot“, sagte Aglaija und zerschnitt es in sieben kleine Teile. „Aber morgen kommt jemand und bringt mir neues."

Wer mochte das sein? Sie waren plötzlich unendlich müde. Aglaija sagte, sie sollten sich in irgendeinem der vielen leeren Zimmer im ersten Stock zur Ruhe legen, und kümmerte sich weiter nicht um sie. Die Kinder waren es zufrieden.

„Ein bisschen komisch ist sie ja schon", sagte Ambromow vorm Einschlafen. „Aber vielleicht ist sie nett."

Als sie aufwachten, wussten sie zuerst wieder einmal nicht, wo sie eigentlich waren. Es war aber auch zu seltsam. Von der Decke herab streckten Babyengel ihre dicken Beinchen aus bauschigen Wolken. Sonne und Mond lachten mit dicken Pausbacken, und selbst Sterne waren zu sehen. Die Zimmerdecke war über und über bemalt. Alle starrten hinauf und vergaßen für einen Moment, dass sie auf dem harten Fußboden ziemlich gefroren hatten. Jana sang:

> „Weißt du, wie viel Sternlein stehen
> An dem blauen Himmelszelt?
> Weißt du, wie viel Wolken ziehen
> Weithin über alle Welt?"

Aber dann konnte sie nicht weitersingen, weil sie heftig husten musste. Die Kinder beredeten, was sie alles sahen. „Wie in einer Kirche", sagte Ludka, die sich auskannte. Aber die anderen hatten so etwas noch nie gesehen. Als sie hinunter in die Küche kamen, roch es nach frischem Gerstenkaffe, den hatte Aglaija schon für sie gekocht. Aber mehr gab es nicht. Den Kindern knurrte der Magen. Mit großen Augen blickten sie sich um, ob irgendwo etwas Essbares zu sehen war.

Dann hörten sie Pluto. Er tobte schon im Park herum und ließ ein freudiges Bellen hören.

„Ach, das wird Koza sein. Gut, dass er kommt."

„Koza heißt doch Ziege!", sagte Ludka für die anderen.

„Kommt eine Ziege?", fragte Daina freudig.

„Aber nein. Ein Mann, der so heißt. Ohne ihn wäre ich verloren. Er war einmal unser Stellmacher."

„Was ist denn ein Stellmacher?", fragte Ambromow.

„Einer, der Kutschen und Ackerwagen baut und instand hält", gab Aglaija Auskunft.

„War dies hier mal ein Gut, eine Kolchose?", fragte Ambromow wieder. Bevor er zu den Partisanen ging, hatte er auf einem großen Gut gelebt, man sagte „Kolchose", viele, viele Leute arbeiteten dort. Er war ein Findelkind. Irgendjemand hatte ihn bei den Landarbeitern gelassen.

„Nein", sagte Aglaija. „Das hier war keine Kolchose, es war eine Domäne, es gehörte meiner Familie. Aber jetzt geht erst mal in euer Zimmer", fügte sie hinzu. „Ich rufe euch dann wieder."

Im Treppenhaus versteckt, hörten die Kinder einen Mann ins Schloss kommen.

„Guten Morgen, Frau Gräfin", sagte er. „Wie ist das Befinden?"

„Der spricht auch so komisch", flüsterte Ambromow. „Wie gestern Aglaija."

Die Gräfin und der Ankömmling gingen in die Küche, ließen aber die Tür offen. Die Kinder schlichen vorsichtig die Stufen herunter und sahen, wie dieser Koza alles auspackte, was er in einem großen Korb mitgebracht hatte. Aglaija legte es dankend auf den Tisch.

„Koza, ich bräuchte jetzt mal ganz viel Mehl und auch Fett und Eier. Und wie ist es eigentlich mit Milch oder auch mal Fleisch?"

Koza sah seine Gräfin erstaunt an. „Erwarten Sie Besuch?"

„Ich habe schon welchen. Ein Wolfsrudel hat sich hier einquartiert. Kinderlandstreicher, die kein Zuhause haben", antwortete Aglaija.

„Was sagt sie?", flüsterte Ambromow, und Ludka sagte es ihm.

„Da müssen Frau Gräfin aber sehr vorsichtig sein. Solche Jugendbanden sind völlig verwildert und nicht ungefährlich. Soll ich sie nicht lieber mit ins Dorf nehmen? Wo sind sie jetzt?"

Aglaija ging zur Tür und rief: „Ambromow, kommt mal runter."

Koza starrte erstaunt auf die kleinen Kinder, die nun auch die letzten Stufen herunterstiegen, und je näher sie kamen, umso weicher schien sein Herz zu werden, bis es schließlich richtig schmerzte, denn er griff sich an der Brust. „Ich verstehe", sagte er tonlos. Aber eigentlich verstand er nicht, wie so etwas möglich war.

„Ich werde mein Bestes tun, Frau Gräfin. Aber versprechen kann ich nichts. Die Sachen gibt es ja nur auf dem Schwarzmarkt, und das ist teuer." Er schüttelte betrübt den Kopf.

„Ich werde sehen, ob ich etwas … Dementsprechendes finde", entgegnete die Gräfin. „Ach, und noch ein Zweites: Liegen nicht irgendwo ein paar alte Pferdedecken herum? Oder Strohsäcke? Die Kinder haben nichts für die Nacht. Und, Koza, sag bitte nichts weiter von den Kindern. Man weiß ja, wie die Menschen heutzutage sind."

„Jawohl, Frau Gräfin. Ich werde morgen wiederkommen."

Koza nahm seinen leeren Korb und seine Mütze, und mit einem traurigen Blick auf die Kindergruppe verließ er das Haus.

„Na bitte!", sagte Aglaija zufrieden und strich über die Dinge auf dem Tisch. „Jetzt können wir ein Picknick machen. Oder wie wäre es mit einem Grießbrei? Koza hat Grieß mitgebracht. Für einen Topf reicht es."

Die Mädchen stimmten freudig zu. Die Jungen wussten nicht, was das war, und darum schwiegen sie. Nach einer halben Stunde saß jeder vor einem Teller voll Grießbrei mit Holundersaft. Ihre Münder färbten sich dunkelrot und der Brei wärmte ihre Bäuche.

„Was wohl der betrübte Herr Jesus jetzt macht?", fragte Daina mit vollem Mund. Alle hatten an den Holunderbusch hinter der Kapelle gedacht, wo sie so lange untergeschlüpft waren. Aber niemand wollte darüber reden. Der Hund

Pluto zog die Aufmerksamkeit auf sich, denn er scheute sich nicht, den Grießtopf auszuschlecken.

„Was für ein Benehmen!" Die Gräfin seufzte und lächelte zugleich.

Dann legte sie sich ein Seidentuch um die Schultern. Blumen waren darauf und Fransen dran. „So", sagte sie. „Jetzt gehen wir aber hinaus."

Hinter dem Haus gab es eine Terrasse. Warm lag jetzt die Herbstsonne darauf. Wilder Wein rankte rot an der Hauswand. Die kleine Gesellschaft stieg die Stufen hinab, dorthin, wo einmal ein gepflegter Garten gewesen war. Doch jetzt war alles hier überwuchert und verwildert. Aber in all dem Gestrüpp blühten Astern, Studentenblumen und Levkojen. Ein großes, rundes Beet mit Rosen war noch zu erkennen.

„Ein Rondell", sagte Aglaija. „Wie wäre es denn, wenn wir es hier wieder schön machen würden?"

„Aber es ist doch schön!" Ismael sah sich erstaunt um, die Blumen in dem vielen Grün waren herrlich und strömten einen süßen Duft aus. Er glaubte, noch nie etwas so Schönes gesehen zu haben.

„Aglaija meint, wir sollen Ordnung machen, das Unkraut weg, den Weg frei", entgegnete Ludka. „Damit es wieder so aussieht wie früher."

„Aber es ist nicht früher!", widersprach Ambromow. „Wozu das dann?"

Aglaija schwieg. Sie sah die zerlumpten Kinder an, sie sah den verwilderten Garten an, und ihre Augen richteten sich in eine unsichtbare Ferne. Dann nahm sie Pluto am Halsband und ging mit ihm in den Park hinein, bis sie nicht mehr zu sehen war.

„Was hat sie denn?", fragte Aina.

„Sie denkt daran, was alles kaputtgegangen ist. Und dass es nie wieder ganz gemacht werden kann", sagte Ludka.

„Aber sie hat es doch hier so schön." Ismael verstand das alles nicht. Jana und Ludka versuchten zu erklären: „Vielleicht hat sie auch ihre Lieben verloren, ihren Mann und vielleicht ihre Kinder. Und nun ist sie allein übrig geblieben."

Sie setzten sich ins Gras und zum ersten Mal wurde ihnen bewusst, dass nicht nur Kinder ihre Eltern verloren, sondern Eltern auch ihre Kinder. Das war ein trauriger Moment.

Es war Ludka, die erneut die Initiative ergriff und sagte: „Wenn wir sowieso nichts zu tun haben, dann können wir doch Aglaija einen Gefallen tun. Schließlich ist sie so nett zu uns."

Ludka wusste, wie man Unkraut hackt und jätet. Unter der Terrasse fand sich Werkzeug, und so machten sie sich an die Arbeit. Sie arbeiteten den ganzen Tag. Erst als die Sonne schon schräg am Abendhimmel stand, kam Aglaija wieder.

Ihr Blick fiel auf das große Rosenrondell, es war blitzsauber und der Rand war wieder mit Steinen eingefasst. In den vier Eckbeeten, die das Rondell umgaben, blühten die Astern und Levkojen und die Studentenblumen, jetzt befreit von Brennnesseln, Quecken und Gras. Der Weg war geharkt.

Die kleine, alte Gräfin traute ihren Augen nicht. Sie ließ sich auf eine Steinbank nieder und schluchzte. Sie weinte vor Rührung. Aina und Daina setzten sich rechts und links von ihr, umarmten sie und streichelten ihr immer wieder die Wangen. Und die Tränen der Gräfin mischten sich mit der guten alten Gartenerde von Kinderhänden.

Pluto konnte das nicht mehr aushalten. Er sprang von einem zum andern und jaulte so lange, bis die Gräfin aufstand und alle ins Haus gingen. „Mir ist so nach einem Fest", sagte Aglaija, gab jedem ein Messer, und sie putzen das ganze Gemüse und die Kartoffeln, die Herr Koza mitgebracht hatte. „Tut mir leid, mein Lieber", sagte die Gräfin dann und streichelte Pluto. „Aber die Knochen für dich müssen jetzt erst in der Suppe mitgekocht werden. Dann bekommst du sie." Pluto war beleidigt und legte seinen großen schweren Kopf auf ihren Schoß. „Ja, Ja", sagte sie. „C'est la vie!"

Jana kannte die Worte. „Es heißt: So ist das Leben!"

Während Ludka den großen Kochtopf beaufsichtigte, winkte Aglaija Ambromow heran. „Komm mal mit." Ambromow schien ihr Liebling zu sein. Sie gingen in den Park und kamen zu einer Tür, die in die Erde führte. „Das war unser Eiskeller."

Unten in der Erde standen sie in einem großen Raum. Es war dunkel und feucht. Aglaija zündete eine Kerze an und gab sie Ambromow.

Dann durchquerten sie den weiten Keller bis zur hinteren Wand. „Sieh mal“, sagte sie, „hier war etwas von unserem Geld und unserem Silber versteckt.“ Ambromow sah ein leeres Loch in der Mauer. Die herausgebrochenen Steine lagen davor.

„Ich wusste, dass sie es finden würden“, sagte Aglaija.

„Warum hast du es denn dann da eingemauert?“

„Das kann ich dir erklären: Wer was gefunden hat“, sagte sie, „denkt nicht daran, noch mehr zu suchen. Gib mir die Kerze und räum hier einmal das Holz weg.“

Er schob einen modrigen Haufen Holz zur Seite. Dahinter kam ein Rattennest zum Vorschein. Ambromow ekelte sich. Er wollte sich abwenden. „Bleib, bitte“, sagte Aglaija, „sieh dir die Wand dahinter an. Siehst du etwas?“

Er sah nichts. „Das ist doch gar keine richtige Wand, nichts Gemauertes. Das ist die unterirdische Erde“, sagte er. Und entdecken konnte er daran auch nichts.

Aglaija bat ihn, ein Holz zu nehmen und an einer bestimmten Stelle zu graben. Die Erde war sehr hart und fiel in Brocken auf den Boden. Ein paar Ratten flüchteten quiekend.

„Mach dir nichts draus!“

Erst nach langem Stochern, Kratzen und Graben kam ein kleines Eisenkästchen zum Vorschein. „Siehst du? Was habe ich gesagt?“

Aglaija wischte die Erdkruste ab, aber noch war das Kästchen verschlossen.

Ambromow kam sich auf einmal vor wie ein Schatzgräber. Sie waren fündig geworden! Gleich aber sollte es noch ein Problem geben: Während sie sich vor Freude umarmten, fiel Aglaija die Kerze aus der Hand und erlosch. Ambromow unterdrückte einen kleinen Schrei.

Auch Aglaija verlor einen Augenblick die Fassung. Aber dann, ohne lange nach der Kerze zu suchen, nahm sie Ambromow fest an die Hand. Langsam tasteten sie sich an der feuchten Erdwand entlang, während sie sich gegenseitig Mut zusprachen. Es dauerte Minuten, ehe sie den Lichtschein des Ausgangs erblickten. Minuten, in denen sie sich nahekamen, näher als Ambromow es jemals bei einem Erwachsenen verspürt hatte. Einer verließ sich auf den anderen, und es kam ihm vor, als gäbe es auf einmal keinen Altersunterschied mehr zwischen ihnen. Als sie wieder ins Tageslicht traten, sahen sie sich an. Es war ihnen, als kehrten sie von einer langen Reise zurück. Etwas vereinte sie, und als sie zum Haus gingen, ließ die raue Jungenhand die zarte Frauenhand noch immer nicht los.

Pluto war in der Küche geblieben. Er saß vor dem Herd und ließ den Topf keinen Moment aus den Augen. In diesem Topf waren die Knochen verschwunden, die doch ihm gehörten.

„Ja, da guckst du! Heute essen wir deine Markknöchelchen!“ Es war Daina, die das sagte.

„Sei nicht so gemein zu ihm. Er ist doch auch bloß ein Mensch, der essen will“, entgegnete Ludka.

„Ein Mensch? Der ist ein Hund und kein Mensch.“

„Hunde können auch Menschen sein."

„Jedenfalls sind sie uns ähnlich", mischte sich nun Aina ein. „Sie atmen und essen und fühlen wie wir. Und sie sprechen auch, allerdings eine andere Sprache. Aber auch Menschen haben ja sehr verschiedene Sprachen."

Alle schauten den großen schwarzen Hund an, der ob so viel Aufmerksamkeit seinen Kopf schief hielt, die Ohren aufstellte und mit seinen großen Augen jetzt fragend in die Runde blickte.

„Bisschen wie ein Mensch sieht er schon aus. Vielleicht verzaubert", schlug Jana vor, die von Ludka erfahren hatte, worum es ging.

Aber Daina beharrte aus irgendeinem Grunde darauf, dass ein Hund ein Hund sei und sonst nichts. „Nein", sagte Ludka. „Dieser Hund kann auch ein Mensch sein."

„Was sagst du da, Ludka, Pluto ist ein Mensch?" Ambromow kam gerade herein und mit ihm die Gräfin. Er lachte.

„Lach nicht. Damit beleidigst du ihn. Aglaija hat auch gesagt, dass er so etwas wie ein Mensch ist."

„Wie das?"

„Sie hat gesagt: ‚Pluto trinkt keinen Kaffee. Er mag ihn nicht.'"

Ambromow verstand nicht. „Na und?"

„Nur Menschen trinken keinen Kaffee."

„Nee, Menschen trinken Kaffee!"

„Sie trinken Kaffee oder trinken keinen Kaffee. Wie sie wollen. Aber Hunde saufen Wasser. Sie trinken nie keinen Kaffee. Aber Pluto schon, hat Aglaija gesagt."

„Ich geb's auf!", sagte Ambromow und setzte sich. Mädchen waren einfach nicht zu verstehen.

„Wollt ihr nicht wissen, wo wir waren?", fragte jetzt die Gräfin und hielt das Kästchen hoch. Natürlich wollten alle wissen, was das für ein Kästchen war, und woher es kam.

„Wir waren auf Schatzsuche und haben tatsächlich einen Schatz gefunden", rief Ambromow und sah stolz seine Komplizin an. „Also, das war so …"

„Zuerst essen!", jammerte Daina und damit waren alle einverstanden.

Der Eintopf war dick und schmeckte angenehm nach den Markknochen. Es gab so viel, dass alle richtig satt wurden.

Pluto bekam endlich die herausgefischten Knochen und knabberte lautstark daran herum. Daina streichelte ihn und flüsterte: „Entschuldige, dass ich so gemein zu dir war."

„Hast du denn auch den Schlüssel zu dem Kästchen, Aglaija?" Ambromow konnte es nun vor Neugier nicht mehr aushalten. Aus einer alten Blechschachtel, in der Knöpfe, Sicherheitsnadeln, Haarspangen und noch andere Kleinigkeiten waren, kramte Aglaija ein Schlüsselchen hervor. Die Suppenteller wurden abgeräumt, und unter großer, allgemeiner Spannung steckte sie das kleine Ding in das Schlüsselloch und drehte es um. Der Deckel sprang auf.

Ein Tüchlein aus lila Samt kam zum Vorschein. Aglaija zog den Samt vorsichtig auseinander, und dann glänzte und glitzerte es. Aglaija breitete das Tüchlein auf dem Tisch aus. Darauf lag nun ein kleiner, aber ungeheuer wertvoller

Schatz, bestehend aus Ketten, Broschen, Ohrringen, einem Fingerring und einem Armband. Wie kostbar das war, wussten die Kinder natürlich nicht.

„Fast hätte ich das alles vergessen. Wer weiß, vielleicht hätte ich mich nie mehr daran erinnert, wenn ihr nicht gekommen wärt. Ach, ach, ach …" Aglaija versank in Erinnerungen. „Seht mal: Das war mein Verlobungsring. Der blaue Stein heißt Saphir. Und die Blütenblätter um diesen Stein sind aus Brillanten. Dies Armband gehört auch dazu. Das alles habe ich zur Verlobung bekommen, und es passte sehr gut zu meinem blauen Kleid. Die roten Steine auf diesem Anhänger sind Rubine. Und der grüne hier ist ein Smaragd." Sie griff nach dem nächsten Schmuckstück. „Diese Brosche ist sehr alt. Das sieht man daran, dass es damals noch keinen Brillantschliff gab. Zu der Zeit hießen die weißen Glitzersteine Diamanten, und sie bilden zusammen mit den Perlen dieses wundervolle Blumengebinde. Die Brosche ist von meiner Ururgroßmutter; sie hat Napoleon noch gesehen."

Fasziniert sahen und hörten die Kinder zu. Noch nie hatten sie so etwas Schönes gesehen. Wer mochte Napoleon sein?

„Dürfen wir das mal anfassen?"

Aglaija lächelte. „Da müssen wir uns aber erst mal schön machen." Sie holte ein paar bunte Tücher und gab sie den Mädchen als Schultertuch oder Schleier. Sie steckte ihnen die Haare hoch, holte ein kleines Döschen hervor, das allerdings leer war, und tat so, als „lege sie ihnen Rouge auf".

Dann endlich durfte sich jede von ihnen einen Schmuck aussuchen.

Jana wollte die uralte Brosche haben. Aglaija steckte sie ihr wie ein Diadem ins Haar. Ludka bekam den Rubinanhänger und die Rubinohrringe. Sie hatte tatsächlich schon kleine Löcher in ihren Ohrläppchen. Aina glänzte mit einer Perlenkette, die einen Smaragdverschluss hatte, und Daina bekam eine Kette mit einem Aquamarin, einem wasserblauen Stein.

Es gab eine Spiegelscherbe, in der betrachteten sich alle nacheinander und kamen sich vor wie Feen oder Prinzessinnen in einem Märchen.

Ambromow hatte die ganze Zeit den Schatz „gehütet". Er hielt die Hände schützend um das lila Tüchlein. Jetzt wickelte Aglaija Ismael einen weißen Turban um den Kopf und befestigte vorn eine große goldene Brosche, in deren Mitte ein Amethyst von dunklem Violett prangte. Und Ambromow? Ihm wurde eine Brosche an die Jacke geheftet, die mit vielfarbigen Steinen besetzt war.

„Das ist ein Orden für besondere Tapferkeit", sagte Aglaija und schmunzelte. Sie selbst trug ihren Verlobungsschmuck.

Es verbreitete sich ein Zauber in der alten Küche, der alle mit einem nie gekannten Gefühl erfüllte. Jana musste singen, und alle tanzten dazu. Auch Pluto gab sich Mühe.

„Wie kühl scheint uns der Maien,
Der Sommer fährt dahin.

Mir ist ein schön Jungfräulein
Gefallen in meinen Sinn.
Mir ist so wohl und weh …“

Da klopfte es an die Tür.

Wie in einem lebenden Bild erstarrte jeder in der Bewegung, die er gerade ausführte. Die Tür ging auf – und herein kam Koza.

Auch er verharrte regungslos, so überrascht war er von dem Anblick, der sich ihm bot: Die Elfenkönigin tanzte da mit ihren Zwergen und Feen, geschmückt mit dem Kronschatz des großen Königs Sigismund!

Pluto konnte die aufgeladene Situationen nicht länger ertragen. Das teilte er lauthals mit und umschwänzelte Koza. Der schien nicht weniger verwirrt als der Hund.

„Aber Frau Gräfin, wie können Sie … woher haben Sie …“ Er musste sich erst setzen. Auch die anderen kamen langsam wieder zu sich und setzten sich hin. Pluto war erleichtert.

„Ja, Koza, da staunst du, nicht wahr?“ Die Gräfin sagte das fast spitzbübisch. „Ich hab mich wieder erinnert und mein Schmuckkästchen gefunden. Wir brauchen es ja, wenn wir auf dem Schwarzmarkt einkaufen wollen.“

Koza schwirrte der Kopf: „Aber Frau Gräfin, wie können sie denn … die Kinder … ich meine, so viele Kostbarkeiten?“

„Du siehst die Prinzen und Prinzessinnen der Piasten vor dir, die Könige von Krakau und die Fürsten der Jagiellonen. Ich meine, es steht ihnen und mir zu, den Schmuck noch einmal zu tragen, bevor wir ihn irgendwelchen fremden Schwarzhändlern in den Rachen werfen müssen." So war sie, seine Gräfin. So war sie schon immer gewesen. So ungewöhnlich und so liebenswert. Eine echte polnische Gräfin.

„Ich habe Pferdedecken mitgebracht", bemerkte Koza leise. „Und etwas Stroh. Von den Decken allerdings nur drei. Aber sie sind groß. Vielleicht kann man sie zerschneiden?"

Die Gräfin nickte ihm dankend zu, dann strich sie das lila Samttüchlein glatt. „So", sagte sie, „jetzt wollen wir einmal überlegen, welchen Schmuck wir zuerst zu Schmalz machen. Was meinst du, Koza?"

„Wenn ich mir die Bemerkung erlauben darf, Edelsteine stehen hoch im Kurs. Die Rubinohrringe vielleicht? Allerdings muss ich dazu in die Stadt gehen, Frau Gräfin. Hier bei uns im Dorf geht so was nicht."

„Selbstverständlich, Koza. Die Königin Leonore Maria Josefa aus dem Hause Habsburg – heute heißt sie Ludka – wird ihren Schmuck hergegeben, um damit den Hunger ihres Volkes zu stillen, so wie es seit Jahrhunderten viele Königinnen taten."

Feierlich nahm sie Ludka den Schmuck ab, wickelte ein Taschentuch drumherum und steckte ihn Koza in die Innentasche seiner Joppe. Aber Koza nahm die Stücke noch einmal heraus und verstaute sie im Futter seiner Mütze. Ludka fasste traurig ihre Ohrläppchen an; nur für einen Augenblick hatte sie den kostbaren Schmuck getragen, der sie zu einer Elfenkönigin werden ließ. Auch ihr Hals war nun so kahl wie eh und je – obwohl: Ludka meinte, die Kette mit dem Rubinanhänger noch immer zu spüren und bewegte sich ganz vorsichtig.

Auch alle anderen legten nun den Schmuck wieder ab und er wanderte zurück in das eiserne Kästchen. Genug geträumt! Das Kästchen verschwand im Aschenkasten.

Sie gingen nun hinaus zu Kozas Leiterwagen, holten Stroh und Decken und brachten sie gemeinsam in das Zimmer, in dem die Engel ihre dicken Beinchen von der Decke baumeln ließen. Sie breiteten das Stroh auf dem Boden aus. Anschließend wollten sie die Decken zerschneiden, damit sich jeder in sein eigenes Stück einwickeln konnte.

„Ambromow, dein Messer!“

Aber wo war Ambromow?

Ismael rannte zurück in die Küche. Dort fand er den Freund immer noch neben dem Küchentisch, in Gedanken versunken: „Leonore hat Aglaija gesagt. Leonore!“, murmelte er leise. Die ganze Zeit, seit die Gräfin von der Königin gesprochen hatte, kam er nicht mehr von dem Gedanken los: Das „L“, der Buchstabe auf seiner Flaschenpost. Hieß es Leonore? Gehörte dieser Name zu dem Gesicht und den hellen Haaren, von Sonne durchschienen? So sehr er sich aber auch mühte, das Bild wurde nicht deutlicher.

Ismael sah Ambromow eine Weile an. Er glaubte zu wissen, was in ihm vorging, denn auch er suchte oft verzweifelt, Klarheit in seine Erinnerungen zu bekommen, die ihn wie Tagträume überfielen.

Ludka kam zu ihnen. „Wir haben dich gesucht, Ambramow. Warum sitzt du da noch?“, rief sie. Aber Ismael legte den Finger auf den Mund und stellte sich einen Augenblick schützend vor den Freund. Da ließ Ludka ihn in Ruhe und ging nach oben. Ismael folgte ihr mit einer Schere von Aglaija, mit der sie die Decken durchtrennten.

Spät kam Ambromow. Er wickelte sich in seine Decke, streckte sich aus und betrachtete den Mond, der hell durchs Fenster schien. Würde er je erfahren wer er wirklich war? Ismael stellte sich schlafend, aber er sah zum ersten Mal, dass sein Freund weinte.

Die Sonne schien schon hell auf das Strohlager unter der farbenprächtigen Decke, als Ambromow als Letzter erwachte.

Die anderen saßen schon in der Küche und aßen Kohlrübensuppe. Ludka hatte sie gekocht. Ambromow setzte sich still dazu, so als träume er noch.

Auch Aglaija war heute stiller als sonst. Auch sie schien an etwas zu denken, das weit weg war.

„Wo hat dir dein Bräutigam eigentlich den Verlobungsring geschenkt?“, fragte Daina.

Über diese Frage schien sich Aglaija zu freuen. Sie lächelte. „Meine Eltern waren mit mir nach Venedig gefahren. Das ist eine wunderschöne Stadt in Italien. Italien ist überhaupt ein wunderschönes Land. Und so warm!“ Sie kramte in einer ihrer Schubladen und holte eine alte Postkarte hervor. Darauf waren schöne Häuser und Brücken zu sehen, aber statt der Straßen gab es Bäche. Auf denen fuhren Boote, die wie Drachen aussahen.

„Das sind Gondeln und die Männer, die sie fahren, nennt man Gondoliere. Wir trafen da in Venedig meinen Bräutigam, das heißt, er war ja noch gar nicht mein Bräutigam. Aber er hielt bei meinen Eltern um meine Hand an."

„Er machte was?"

„Er wollte ihre Hand haben, damit er ihr den schönen Ring anstecken konnte", sagte Ludka.

„Aber warum von ihren Eltern?"

„Nein, nein", berichtigte Aglaija. „Das sagte man früher nur so, wenn ein junger Mann ein junges Mädchen heiraten wollte, dann musste er erst die Eltern fragen." Sie lächelte.

„Und wenn die dann Nein sagten?"

„Dann ging es leider nicht. Oder das junge Paar musste heimlich davonrennen."

„Und? Musstest du davonrennen?"

„Nein. Meinen Eltern gefiel der junge Graf genauso gut wie mir, und es wurde Verlobung gefeiert, gleich in Venedig. Meine Eltern kauften mir ein blaues Kleid, passend zum Ring und dem Armband. Es gab ein schönes Tanzfest, einen Ball nennt man das, und sehr, sehr viel zu essen."

„Da wäre ich auch gerne dabei gewesen", sagte Daina und kratzte den Suppentopf aus, so lange, bis man ihn eigentlich gar nicht mehr abzuspülen brauchte.

„Wo ist Italien?", fragte Ismael und betrachtete die alte, etwas zerknitterte Postkarte.

„Im Süden und da ist es sehr, sehr schön“, sagte Aglaija versonnen.

„Wenn es da so schön ist, wollen wir auch in den Süden. Ist es weit bis dahin?“

„Weit ist es schon. Und man muss über die hohen Berge.“

„Könnten wir das schaffen?“

„Selbstverständlich. Wenn ihr es bis hierher geschafft habt, dann schafft ihr es auch weiter. Ihr müsst nur immer fest daran glauben und immer zusammenhalten. Viele sagen ja, man kommt nur allein durch in schweren Zeiten. Aber das stimmt nicht. Noch nie ist jemand allein durchgekommen. Auch die Tiere und die Natur helfen uns. Seht mich an. Hätte ich Pluto und Koza nicht und viele andere, die mir vorher geholfen haben …“ Sie sprach nicht weiter, lächelte nur.

Aber jetzt fiel es ihnen allen auf, dass ihre tiefschwarzen Augen niemals lächelten. Was mochten sie Schreckliches gesehen haben? Ihr Gesicht „zerfiel“ sozusagen in zwei Hälften, eine obere, immer tieftraurige, und eine untere, die hier und heute und ab und zu wieder lächeln konnte.

„Woher weiß man denn, wo Süden ist?“, fragte Ludka.

„Da, wo die Sonne mittags steht, da ist Süden.“

„Da oben?“, fragte Daina.

„Du Schaf. Natürlich nicht. Das ist die Himmelsrichtung“, sagte Ambromow.

„Wir müssen aber die Erdrichtung wissen“, beharrte Daina. Alle lachten.

„Ach“, Aglaija überlegte, „es muss ja hier irgendwo noch einen Kompass geben.“

Sie fing wieder an, in ihren kleinen Schubladen zu kramen. Jede war randvoll mit Krimskrams. „Koza hatte die Kommode auf seinem Dachboden aufgehoben, deshalb sind all die alten Sachen noch drin", sagte sie und suchte weiter.

Alle warteten gespannt, was wohl jetzt zum Vorschein käme. Endlich schien Aglaija es gefunden zu haben. Es sah aus wie eine kleine alte Taschenuhr.

„Na, da ist er ja!", sagte sie erfreut. „Jetzt schau mal, Ambromow."

Immer, wenn Aglaija ihnen etwas sagen wollte, sprach sie Ambromow an. Weil er der Klügste war oder ihr Liebling? Oder einfach nur, weil er der Älteste war? Es drängten sich alle um die beiden herum und sahen die kleine Uhr an. Sie hatte statt zwei Zeigern nur einen einzigen, eine Nadel, die nach zwei gegenüberliegenden Seiten zugleich zeigte und dauernd herumzitterte wie eine Mücke im Spinnennetz. Und wie immer man die Uhr auch drehte, die Nadel zeigte stets in die gleiche Richtung. Die eine war Norden und die andere Süden.

„Der Zeiger zeigt ja immer nur in diese beiden Richtungen", bemerkte jetzt Ludka. „Und was ist mit den anderen?"

„Mit den anderen was?"

„Mit den anderen Himmelsrichtungen."

Aglaija drehte den Kompass so, dass die Zitternadel genau auf den Buchstaben N und S lag.

„Dann steht hier O und da W", las Ludka. „Osten und Westen. Wenn wir also nach Süden wandern, dann ist

Osten immer auf unserer linken Seite." Sie überlegte. „Da steht aber noch SO und SW und NW und NO."

„Na, was könnte das denn heißen?", fragte Aglaija. Wieder sah sie Ambromow an.

„Südosten und Südwesten und Nordwesten und Nordosten. Das sind wohl die Zwischen-Himmelsrichtungen."

„Genau. Und Italien liegt südwestlich von hier", sagte Aglaija und fügte hinzu: „Die Kompassnadel, wie man den Zeiger nennt, spürt die Magnetstrahlen der Erde. Die haben eine Richtkraft und weisen die Nadel in eine Nord-Süd-Richtung, wie immer man den Kompass auch dreht. Erdmagnetismus eben."

Ambromow war beeindruckt. „Wie macht die Nadel das?"

„Sie fühlt es und richtet sich danach. Und teilt dir mit ihrem zittrigen Gefühl genau mit, wohin du gehen musst, wenn du von hier aus nach Italien kommen willst", sagte Aglaija.

Sie gab den kleinen Kompass Ambromow in die Hand. Der drehte ihn hin und her, und wie zuvor zeigte die Nadel immer in die gleiche Richtung: nach Norden und nach Süden.

Aus dem Norden waren sie gekommen und hatten sich nach Westen bewegt, bis sie in der Stadt Danzig das Schiff bestiegen hatten, das sie nach Warschau brachte. Da hatte sich die Himmelsrichtung ihrer Wanderung zugunsten eines Kuchenladens geändert. Jetzt ging es um Wärme und ein verheißungsvolles Land.

„Na das ist ja mal eine Erfindung!", sagte Ambromow „Erdmagnetismus! Sowas!" Die Gräfin schenkte ihm den Kompass.

Schließlich kam Koza mit dem, was er für den Rubinschmuck eingetauscht hatte. Er brachte einen Eimer voll Schmalz, einen Eimer voll Sirup, einen Sack Mehl und eine richtig große Kanne mit Milch, dazu zwanzig Eier und einen Schinken. Für Ludka brachte er einen kleinen Kuchen, den er ihr feierlich überreichte, weil sie ja die freigiebige Königin gespielt hatte. Alle waren sehr glücklich und sehr erstaunt. Waren die Ohrringe wirklich so viel wert gewesen. „Zu anderen Zeiten noch viel mehr", sagte Koza bedauernd.

Die Aufbewahrung von Mehl, Schmalz, Sirup und Schinken war kein Problem. Auch die Eier würden sich eine Weile halten. Aber die Milch? Was sollten sie mit der Milch machen? Aglaija hatte keine Ahnung, aber Ludka, das Bauernkind, wusste Bescheid. Sie würde Sauermilch herstellen und aus der Sauermilch Quark und aus dem Quark kleine Kümmelkäse, und die würden sich lange halten.

Sie tranken erst einmal alle eine Tasse voll oder zwei. Auch Pluto bekam ein Schälchen.

Danach wurde ein großer Topf Milchbrei gekocht, und der schmeckte so gut wie noch nie im Leben.

In den nächsten Tagen aßen sie lauter Dinge „wie im tiefsten Frieden", wie Aglaija sagte, nämlich Pfannkuchen mit Sirup und andere leckere Dinge vom Eingetauschten. Und jeden Morgen gab es Milchbrei. „Ihr werdet richtig fett werden!“, meinte Aglaija und lachte.

Ludka setzte die große Backschüssel mit Sauermilch an. Als sie dick war, konnte man sie mit Sirup essen. Auch das schmeckte. Aber das meiste füllte Ludka mithilfe von Jana in die zwei Kopfkissenbezüge, die Aglaija noch besaß. Die hängten sie auf. Langsam tropfte die Molke heraus, und allmählich wurde die saure Milch dicker und fester, bis sie schließlich zu Quark gerann. Die herausfließende Molke konnte man trinken, und von dem Quark konnte man natürlich auch essen. Doch hauptsächlich vermischten Jana und Ludka ihn mit Kümmel – Salz gab es leider nicht –, formten kleine Küchlein und legten sie zum Trocknen auf ein Brett. Lange Zeit gab es zum Frühstück für jeden so einen kleinen Käse.

Aglaija backte Brot. Koza hatte auch ein Stück Sauerteig mitgebracht. Aina und Daina halfen ihr. Und auch Ismael machte das gern. Ambromow war wie immer für das Feuer zuständig und musste Holz holen. Und dann machte Aglaija etwas Merkwürdiges: Sie schnitt das fertige Brot in Scheiben und backte die noch einmal.

„Zwieback nennt man das, und das hält sich lange für den Fall der Not.“

„Das hat unsere Mutter auch immer gesagt“, rief Aina: „Für den Fall der Not! Lernt die Ziege melken. Lernt eure Zöpfe flechten. Lernt dies, lernt das. Für den Fall der Not.

Aber wir wussten gar nicht, was das war, der Fall der Not."

Aglaija ging mit Ambromow – mit wem auch sonst – die Treppen hinauf bis auf den Dachboden. Wieder einmal war ihr etwas eingefallen. Dort lag noch einiges Gerümpel herum, auch eine große alte Blechschachtel, schon etwas verrostet, aber doch noch gut erhalten. Sie war mit allerlei Bildern bemalt, mit alten Häusern und Rittern auf Pferden und mit bunten Wappen. Es stand auch etwas darauf geschrieben. „Nürnberger Lebkuchen." Die waren vor langer Zeit einmal darin gewesen und aus Deutschland hierher geschickt worden, als noch kein Krieg war. Diese Blechtruhe nahmen sie mit hinunter. Jana musste erklären, was das war – Lebkuchen. Und mit Ludkas Hilfe gelang es auch einigermaßen: Eben eine besondere Art von Honigkuchen, die in der schönen Stadt Nürnberg gebacken worden waren. In das Bewusstsein der Kinder rückte eine Zeit, die früher einmal gewesen war und nichts mit Krieg zu tun hatte. Eine Honigzeit ohne Hunger. Hatte es die wirklich gegeben?

Jetzt legte Aglaija den Zwieback in die Schachtel. Und sie backte weiterhin Zwieback, so lange, bis die Schachtel voll war. Dann stellte sie sie auf den Schrank.

So lebten sie zeitlos dahin und hatten es gut. Doch, von den andern kaum bemerkt, Jana wurde immer blasser und schwächer.

Eines Morgens konnte sie nicht mehr aufstehen. Ambromow und Ismael trugen sie hinunter in die Küche und die Mädchen machten ihr ein Lager vor dem Fenster. Sie atmete schnell und flach, und es wurde ihr immer heißer.

Aglaija machte ihr kalte Wadenwickel mit den Kissenbezügen, die nun nicht mehr für den Quark gebraucht wurden. Aber das Fieber stieg unaufhörlich. Am Nachmittag sagte Aglaija. „Wir müssen einen Arzt holen."

Aber es gab keinen Arzt im Dorf, nur in der Stadt, und der hatte wahrscheinlich anderes zu tun, als zu ihnen herauszufahren. Dennoch musste man es versuchen.

Aglaija ging an den Aschenkasten, grub das Schatzkästchen aus und entnahm ihm die Amethystbrosche.

„Ambromow und Ismael, ihr geht jetzt zu Koza. Ich gebe euch einen Brief für ihn mit. Er soll mit euch zum Arzt fahren. Ich schreibe ihm, wie es um Jana steht und dass der Arzt die Brosche erhält, wenn er mit euch hierher kommt."

Ismael wickelte das Schmuckstück in ein Taschentuch und steckte es in das Futter seiner Mütze, wie er es bei Koza gesehen hatte. Der Weg ins Dorf schien ihnen heute weit. Als sie bei Kozas Haus ankamen, das zweite links am Anfang des Dorfes, war Koza nicht da. Sie warteten. Erst gegen Abend kam er, lieh sich dann aber – gleich, nachdem er den Brief gelesen hatte – Einspänner und Pferd des Nachbarn und fuhr mit ihnen in die Stadt.

Das Wartezimmer des Doktors war noch immer überfüllt, obwohl es schon spät war. Nur nach inständigem Bitten ließ die Frau des Doktors sie ins Sprechzimmer. Koza gab dem Doktor den Brief. Der las ihn und schüttelte den Kopf.

„Habt ihr mein Wartezimmer gesehen?"

Ismael holte die kostbare Brosche aus seiner Mütze und hielt sie dem Arzt hin. „Sie wird sterben, Herr Doktor, wenn Sie nicht kommen."

„Sie wird wahrscheinlich auch so sterben", sagte der Doktor und wollte die Brosche nehmen. Aber Koza verhinderte das und sagte etwas auf Polnisch. Es klang sehr energisch. Dann verließen sie das Sprechzimmer.

Nach kurzer Zeit kam der Doktor mit seiner Arzttasche und stieg zu ihnen in den Wagen.

Es war schon dunkel, als sie beim Schloss ankamen. Erstaunt betrachtete der Arzt die alte Frau und die vielen Kinder in der Küche. Er untersuchte Jana, hörte sie ab und maß das Fieber. Dann ging er mit Aglaija hinaus, denn er wollte sie allein sprechen. Er dachte, sie sei die Großmutter, und sagte: „Ihr Enkelkind hat Tuberkulose, fürchte ich, und dazu eine schwere Lungenentzündung. Sie muss sofort ins Krankenhaus, denn hier kann ich nichts für sie tun."

„Ja, aber … ich meine, es gibt ja keine Medikamente, auch in der Klinik nicht …"

Der Doktor zuckte die Schultern. „Aber wenn sie hier stirbt, ohne dass ein Arzt noch einmal alles versucht hat – können Sie das verantworten?"

Jana, die nicht mehr bei Bewusstsein war, wurde in zwei Pferdedecken eingewickelt. Ambromow und Ismael trugen sie zum Wagen und nahmen sie auf ihren Schoß. Ismael gab dem Doktor die Brosche.

Wieder fuhren sie in die Stadt. Ängstlich fragten sich die Jungen, ob Jana dort überhaupt lebend ankommen würde. Leise fing Ismael an zu beten: „Ich hebe meine Augen auf zu den Bergen, von welchen mir Hilfe kommt. Meine Hilfe kommt von dem Herrn, der Himmel und Erde gemacht hat. Er wird deinen Fuß nicht gleiten lassen, und der dich errettet, schläft nicht. Der Herr behütet dich." Wenn er fertig war, begann er wieder von vorn.

Der Doktor hörte das Gemurmel und schaute sich um: Zwei Jungen, die ein sterbendes Mädchen hielten. Das erinnerte ihn an ein Bild in der Kirche, eine Pieta: Maria, die ihren gestorbenen Sohn auf dem Schoß hielt. Er schüttelte traurig den Kopf und seufzte. Koza sah lieber gar nicht nach hinten, sondern ganz konzentriert auf den Weg, so als würde er zum ersten Mal hier fahren.

Endlich am Krankenhaus angekommen, mussten sie um Einlass kämpfen. Gemeinsam mit dem Doktor trugen sie Jana vorsichtig hinein.

Es war häufig so, dass sich zwei der kleinen Patienten ein Bett teilen mussten. Doch Jana hatte Glück im Unglück. Die Krankenschwester, eine dicke, gutmütige Frau, wickelte sie aus den Decken und legte sie in ein eben frei gewordenes Bett, ganz für sich allein, zog ihr ein frisches Hemd an und tupfte ihr die schweißnasse Stirn.

Dann kam ein Arzt. Nachdem er Jana noch einmal kurz untersucht hatte, gab er ihr nur ein fiebersenkendes Mittel und unterhielt sich dann leise mit seinem Kollegen. Beide schüttelten bedauernd den Kopf. Ambromow und Ismael beobachteten es und ihre Angst stieg. Sie wollten bei Jana am Bett sitzen bleiben, sie nicht alleinlassen in ihrer Not. Aber die Krankenschwester schob sie freundlich und bestimmt zu Tür hinaus. Es lagen noch so viele andere Schwerkranke in dem Krankensaal. „Ihr könnt ja morgen oder übermorgen wiederkommen. Hier ist sie gut aufgehoben", sagte sie mitleidig. „Und bald wird es ihr besser gehen." Aber den Jungen kam es so vor, als glaube sie selbst nicht daran.

Sie fühlten sich sehr elend und mussten doch den langen Weg zurückfahren, das Pferd ausspannen und versorgen und dann noch zu Fuß zum Schloss zurücklaufen. Dort angekommen, schliefen sie sofort völlig erschöpft ein.

Erst am anderen Morgen erzählten sie alles ganz genau. Auch die Mädchen hätten Jana gerne im Krankenhaus besucht. Aber wie sollten sie da hinkommen? Der Nachbar von Koza würde heute sein Pferd und seinen Wagen nicht gleich wieder hergeben. Das hatte er schon gesagt. – Da machte Ludka sich einfach zu Fuß auf den Weg. Bald traf sie ein Pferdefuhrwerk und der Kutscher war bereit, sie mitzunehmen. So fuhr Ludka mit dem brummigen alten Mann und seiner Ladung Holz in die Stadt. Er ließ sie am Krankenhaus absteigen.

Da stand Ludka dann ganz allein vor dem großen fremden Haus. Zögerlich ging sie hinein. Weiß gekleidete Menschen rannten geschäftig umher. Ludka nahm mehrmals Anlauf, jemanden anzusprechen, aber sie traute sich dann doch nicht. Verloren stand sie mitten in der Eingangshalle.

„Du bist ja immer noch hier", sagte nach einer Ewigkeit eine dicke Krankenschwester mit weißem Häubchen. „Zu wem willst du denn?"

„Zu Jana", flüsterte Ludka.

Die dicke Frau beugte sich zu ihr herunter, um sie verstehen zu können, und Ludka wiederholte ihre Worte. Einen Augenblick dachte die Frau nach. „Ist das die kleine Blonde, die gestern eingeliefert wurde?"

Ludka nickte, und die Krankenschwester führte sie in den Krankensaal. „Sie wird dich nicht erkennen und nicht hören", sagte sie. „Aber sie fühlt sicher, dass du da bist."

Das tröstete Ludka etwas, denn Jana war sehr bleich, mit geschlossenen Augen lag sie da und atmete schwer. Die Schwester machte neue kalte Wadenwickel. Von einem anderen Bett rief jemand: „Schwester, ich hab so Durst."

Stunde um Stunde saß Ludka nun an Janas Bett. Sie kühlte ihr mit der Hand die Stirn. Jana flüsterte fiebrig vor sich hin. Aber Ludka versuchte, sie zu beruhigen. Gegen Abend kamen einige Frauen und brachten ihren Kindern Milch. Die Mutter des Kindes im Bett nebenan sah zu Ludka herüber. „Wo ist denn eure Mama?"

„Wir haben keine", sagte Ludka, aber sie freute sich, dass sie als Janas Schwester angesehen wurde. Die mitleidige Frau gab auch ihr eine kleine Tasse Milch und ein Löffelchen. „Ohne das werden die Kinder nicht gesund“, flüsterte sie. „Es gibt ja kaum Medizin.“

Ludka versuchte, Jana Löffelchen für Löffelchen die Milch einzuflößen. Sie hob ihren Kopf an und redete ihr gut zu. Nach einigen Versuchen fing Jana wirklich an zu schlucken. So wurde die halbe Tasse geleert. „Trink du nur den Rest“, sagte die freundliche Mutter vom Kind nebenan und nickte Ludka zu. Ihr eigenes Kind lag ganz still da und schaute in irgendeine Ferne. Ab und zu sagte es: „Matka?“ Und die Mutter antwortete mit beruhigenden Worten. Als sie nicht mehr da war, fragte das Kind wieder nach ihr, und die Frage ging kläglich ins Leere. Ludka tat das Herz weh, als sie es hörte, und sie weinte innerlich, ohne Laut, ohne Tränen.

Der alte Holzkutscher vergaß, Ludka wieder abzuholen.

Als sie dann am späten Abend immer noch im Krankenzimmer saß, berieten die Schwestern, was sie mit ihr machen sollten. Schließlich gab die Nachtschwester eine Decke heraus, und Ludka legte sich neben Janas Bett auf die Erde. Sie stand mehrmals in der Nacht auf, um Jana oder anderen, die danach verlangten, Wasser zu geben. „Du bist mir eine richtige Hilfe“, sagte die Nachtschwester freundlich.

Aber nicht alle in diesem Krankenhaus waren so freundlich. Am nächsten Tag sollte Ludka ins Büro kommen. „Wir müssen die Personalien aufnehmen“, sagte eine streng und unfreundlich aussehende Sekretärin. Weil Ludka nicht wusste, was „Personalien aufnehmen“ bedeutete, erwiderte sie erst einmal gar nichts, und auch auf mehrfaches Nachfragen konnte sie nur mitteilen, dass die Kranke Jana heiße und sie selbst Ludka, Eltern hätten sie keine und wohnen würden sie auch nirgends.

„Aber irgendwo müsst ihr doch herkommen“, bohrte die Sekretärin nach. Und da erzählte Ludka, wo sie zur Zeit waren: „Im Schloss von der lieben alten Gräfin!“ Dies setzte eine Maschinerie in Gang, die schlimme Folgen hatte.

Ludka saß derweil weiter an Janas Bett und kühlte ihre Stirn. Es wurde nicht besser mit ihr, aber auch nicht schlechter. Die Krankenschwestern wussten, dass die Nähe eines geliebten Menschen eine Heilung unterstützen konnte. Darum erlaubten sie Ludka, zu bleiben, und gaben ihr einmal am Tag das Essen, das Jana nicht essen konnte. Auch Kamillentee durfte sie sich aus der großen Kanne im Flur holen. Am vierten Tag schlug Jana die Augen auf. Ludka weinte vor Glück.

„Es scheint aufwärts zu gehen“, sagte der Arzt, als er an diesem Tag ans Bett kam. Und man hörte, dass er sich darüber wunderte.

„Viel Milch trinken, dann schafft sie es schon.“ Und er klopfte Ludka aufmunternd auf die kleine Schulter. Die Krankenschwestern sahen zu Boden, damit man den Zweifel in ihren Augen nicht sah. Woher die Milch nehmen, die all diese Kinder brauchten?

Ludka wollte den Mut nicht verlieren. Leise erzählte sie unentwegt vom heimatlichen Bauernhof „hinterm Bug", dem Fluss im Osten, von den Feldern, den Tieren und ihrer Familie. Da gab es viel zu erzählen, und es schien, als ob Ludka nicht nur Jana, sondern auch sich selbst von diesen schönen Erinnerungen sprach. Es war so, dass die sanfte, gleichmäßige Stimme Jana guttat; etwas Heilendes ging davon aus. Jana blieb zwar schwach wie ein weißes Rosenblatt, das der Wind hatte fallen lassen, aber langsam sank das Fieber. Und langsam begann sie zu sprechen.

Nach einer Woche war das Kind aus dem Nachbarbett nicht mehr da und auch der Milchsegen blieb aus. Ab und zu steckten die Schwestern ihnen nun etwas zu: ein Schmalzbrot, ein Zuckerbrot, ein bisschen Quark. Die Mädchen waren beliebt.

Dann kam endlich Koza. Er freute sich sehr, dass es Jana wieder etwas besser ging. Dass Ludka bei ihr war, hatten sie sich schon gedacht. Aber was er erzählte, war schlimm: Eine Delegation mit dem Bezirksvorsteher war im Schloss erschienen. Die Sekretärin des Krankenhauses hatte die Beamten informiert. Die Männer stellten fest, dass im Schloss unerlaubt unbekannte Personen lebten, dass dies nicht so weitergehe und dass das Gebäude nutzbringenden Zwecken zugeführt werden müsse, zum Beispiel der Unterbringung der Bezirksverwaltung.

Wo denn dann die Kinder und die Frau Gräfin bleiben sollten, hatte Koza gefragt. „Nun, die bekommen eine andere Bleibe zugewiesen. Überhaupt ist es so, dass Kinder, die aus russischen Gebieten kommen und keine Eltern mehr haben, mit einem Transport nach Russland zurückgebracht werden, wo es große Waisenhäuser gibt", lautete die barsche Auskunft. Koza und die Gräfin hatten leise aufgestöhnt. Jeder wusste, dass dort, in diesen Waisenhäusern, schreckliche Verhältnisse herrschten.

Jana wurde sehr traurig. „Ich habe es euch ja gesagt, dass meinetwegen alles schiefgehen wird." Koza tat es sofort leid, dass er überhaupt davon erzählt hatte. Aber das war der Stand der Dinge und keiner wusste, wie es weitergehen sollte. Koza ließ ein Körbchen mit Obst da, etwas Brot und ein paar von den Käseküchlein mit Kümmel. Dann fuhr er wieder heim, aber Ludka wollte bei Jana bleiben.

Zwei Nächte später hörte sie ein feines Klicken, das sich wiederholte. Schließlich begriff sie, dass es vom Fenster kam. Jemand warf Steinchen an die Scheibe. Sie schlich hin und öffnete es. Draußen standen Ismael und Ambromow. „Mach auf", flüsterten sie. „Wir kommen euch holen."

Ludka wusste nicht, wie das gehen sollte, wie sie von hier unbemerkt wegkommen konnten, aber sie ging leise an die Hintertür des Krankenhauses und öffnete sie.

Die Jungen schlichen mit ihr ins Zimmer. „Jana", fragte Ambromow leise. „Willst du vielleicht lieber hierbleiben, oder willst du mit uns weiterwandern? Denn wir müssen weg, weil wir nicht ins Waisenhaus wollen."

Jana überlegte keinen Augenblick, sondern nickte. Da

wickelten sie sie in ihre Bettdecke und trugen sie leise hinaus. Würde das gut gehen? Ludka tat es leid, dass sie sich nicht bei den netten Krankenschwestern bedanken konnten. In schlechten Zeiten reißen viele Begegnungen einfach ab.

In der nächsten Gasse wartete Koza mit dem Einspänner. So fuhren sie zurück, aber nicht ins Schloss, sondern zu Kozas Häuschen. Er hatte eine kleine Stube, eine kleine Küche, einen kleinen Ziegenstall und eine kleine Werkstatt.

Aglaija wartete hier. Sie nahm Jana fest in die Arme und strich ihr zärtlich über das Haar. Sie hatte Tränen in den Augen, denn ihr war klar, dass es für ihre kleinen Freunde keine andere Alternative zum Kinderlager in Russland gab, als wegzugehen. Würden sie es in den warmen Süden schaffen? Kozas Frau stand am Herd und kochte einen großen Topf Suppe. Jeder schöpfte sich eine Tasse. Jana und Ludka bemerkten, dass alles für ihre Abreise vorbereitet war. Jetzt hatte jeder von ihnen einen Rucksack, voll gefüllt mit Nahrungsmitteln, die ein zweiter Schwarzmarktbesuch mit dem Schmuck der Gräfin eingebracht hatte. Außerdem hatte Frau Koza auf ihrer Nähmaschine für jedes Kind aus alten Zucker- oder Mehlsäcken eine Jacke genäht, fest und haltbar. Knöpfe hatte sie nicht, darum wurden die Jacken mit Bändchen zugemacht. Auch warme Tücher für den Kopf gab es. Und vor allem „Knobelbecher“, alte Militärstiefel, die allerdings viel zu groß waren. Sie wurden mit Heu ausgestopft.

Jetzt ging es wieder einmal ans Abschiednehmen. Morgen war der Tag, an dem die Kinder in das Waisenhaus nach Russland geschickt werden sollten. Aber Aglaija hatte es dazu nicht kommen lassen wollen. Mit Kozas Hilfe hatte sie alles in die Wege geleitet. Wie gern hätte sie die Kinder dabehalten. Koza wollte sie selbst in sein winziges Häuschen aufnehmen. Aber abgesehen davon, dass für die Kinder hier wirklich nicht genug Platz war, hätten die Nachbarn sie wohl verraten, denn niemand wollte sich mit der Obrigkeit anlegen.

„Komm doch mit Aglaija!", riefen die Zwillinge. Aber Aglaija schüttelte traurig den Kopf. „Ich bin zu alt", sagte sie und lächelte schmerzlich.

Sie alle fühlten eine große Dankbarkeit gegenüber Aglaija, denn so schön wie bei ihr hatten sie es sonst nirgends erlebt. Sie hätten ihr gerne etwas geschenkt. Aber sie besaßen nichts. Nur Ambromow hatte etwas. Er holte den kleinen Zettel von der Flaschenpost aus seinem Brustbeutel und gab ihn Aglaija.

Sie las ihn.

„Da mir mein Sein so unbekannt,
Leg ich es ganz in Gottes Hand.
Der führt mich wohl, so hin wie her.
Mich wundert's, wenn ich traurig wär'. –
Ich werde dich immer lieben, L."

„Ja, Ambromow, ich werde dich auch immer lieben, obwohl das „L“ am Schluss ja sicher von dem Namen Leonore stammt.“ Sie stockte einen Augenblick. „Von deiner Mutter?“

Ambromow erblasste. Was war das? Wie eine heiße Welle durchfuhr es ihn. Seine Mutter? Wusste sie etwas von ihr?

Aglaija schwieg. Sie wusste nichts von ihr. Sie hatte nur geraten, einen schönen Namen, der Bedeutung für Ambromow haben mochte. Allerdings ein deutscher Name. Und was sie wusste, war, vor Jahren waren Deutsche nach Russland, in die Sowjetunion gegangen, um dort ein Paradies der Gerechtigkeit und Brüderlichkeit zu finden – das es aber wohl nie gegeben hat.

Und Ambromow, nun da der Name ausgesprochen wurde, also wirklich existierte, sah zum ersten Mal seit langer, langer Zeit vor seinem inneren Auge deutlicher das Gesicht, umrahmt von hellblonden Haaren, das zu diesem Namen gehörte. Das Gesicht seiner Mutter.

Aglaija ahnte, was in ihm vorging. Sie steckte den Zettel wieder in seinen Brustbeutel. „Das Wichtigste bei einem Geschenk ist die Liebe, aus der heraus es gegeben werden sollte“, sagte sie. „Die ist unsichtbar und sie bleibt. Ich danke dir.“ Und sie umarmte ihn lange.

Nun war es so weit. Koza würde die Kinder mit dem Pferdewagen ein Stück in Richtung Süden bringen, den Bergen entgegen. Aglaija machte jedem von ihnen ein Kreuz auf die

Stirn und umarmte eines nach dem anderen. Dann kletterten sie mit den vollgepackten Rucksäcken auf den Wagen und verschwanden in der Nacht. Kozas Frau und die Gräfin standen noch eine Weile vor dem Haus und lauschten auf das sich entfernende Geräusch der Räder und das Klappern der Pferdehufe. Ludka schaute zurück und auf einmal war es ihr, als sähe sie sich selbst dort stehen, in der ersten Morgendämmerung, als alte Frau, und sähe ihre Kindheit davonfahren.

Ein großer Apfelbaum stand am Weg, als Koza anhielt. Die Vögel zwitschern laut, so wie sie es immer kurz vor Sonnenaufgang tun. Koza machte den kleinen Leiterwagen los, den er hinten angebunden hatte, denn Jana konnte noch nicht so weite Strecken laufen, und die Kinder luden ihre Sachen hinein. Jana setzte sich schließlich oben drauf. Dann fingen sie an, sich Äpfel zu pflücken. Es knackte so lustig, wenn sie hineinbissen und vertrieb ihre traurigen Gedanken.

„Also, ich fahr dann jetzt mal wieder", sagte Koza zögernd. Sie gaben ihm die Hand. Es sah so aus, als wolle er sie umarmen. Außer seiner Frau hatte Koza noch nie in seinem Leben jemanden umarmt. Jetzt aber war ihm danach. Doch er klopfte den Kindern nur auf die Schulter und strich Jana einmal kurz über das Haar. „Alles Gute!", sagte er. Dann wendete er seinen Wagen und fuhr zurück. Mehrmals wischte er sich die Augen, so als sei es hier staubig.

Erst jetzt, als sie ihm nachsahen, wurde den Kindern klar, dass das ein Abschied für immer war, ein Abschied von einem behüteten Ort in einer Zeit der Not. Aber dann bemerkten sie die frische Morgenluft, die prall gefüllten Rucksäcke und das immer lauter werdende Zwitschern der Vögel ringsum. Und plötzlich freuten sie sich wieder aufs Wandern. Sie gaben Jana im Leiterwagen eine Menge Äpfel auf den Schoß, zwei griffen nach der Deichsel und los ging es.

Langsam kam die Sonne aus dem dunklen Wald hervor und der goldene Herbst breitete seine letzten Tage über dem Land aus. Mit kleinen Unterbrechungen liefen die Kinder stetig weiter. Sie blieben auf der Straße, denn das war mit dem Leiterwagen einfacher. Die Zwillinge hatten ihre Knobelbecher auf den Wagen gelegt. Aber die andern wanderten tapfer damit weiter. Bald merkten sie aber, dass sie das viele Laufen nicht mehr gewöhnt waren, zumal in Stiefeln, die ihnen zu groß waren. Allmählich bildeten sich Blasen an ihren Füßen.

„… dass sie wandern und nicht müde werden, dass sie laufen und nicht matt werden …“, fiel Ismael ein. Und dann war da noch die Rede von einem Adler. „Dass sie auffahren mit Flügeln wie Adler …“

„Flügel müsste man haben“, sagte er laut.

„Was?“ Die andern schreckten aus ihrem gleichmäßigen Trott auf.

„Ach nichts.“

Ismael dachte daran, dass er die Stimme seines Vaters nur als ein Flüstern in Erinnerung hatte, so wie er abends in der Baracke immer mit ihm gesprochen hatte, ganz nah und leise.

Gegen Mittag kamen sie an einen Bahnübergang. Sie hörten noch rechtzeitig das Schnaufen des herannahenden Zuges und hielten an. Langsam fuhr der Güterzug heran, und als sei er müde, blieb er schließlich einfach stehen und versperrte die Straße. Direkt vor ihnen tat ein leerer Güterwagen sein Maul auf. Wie traumverloren schauten sie da hinein. Und dann kam plötzlich Leben in die Gruppe. Jana stieg vorsichtig vom Leiterwagen. Die Großen luden das Gepäck ab, stemmten den Wagen dann in den Waggon und hoben die Kleineren hinterher.

Sie hätten sich gar nicht so zu beeilen brauchen, denn der Zug blieb noch eine ganze Weile stehen. Würde er sich überhaupt noch einmal in Bewegung setzen? Gerade als sie überlegten, ob sie auf der anderen Seite wieder aussteigen und ihren Weg auf der Straße fortsetzen sollten, gerade da ruckelte es, und er fuhr an. Gemütlich zuckelte der Zug vor sich hin, nicht schneller als ein Mensch rennen kann, aber er stoppte nicht wieder.

Ihnen gefiel das. Sie breiteten ihre Decken aus und machten es sich in dem Waggon gemütlich. Einmal verlangte Aina, dass Ambromow auf den Kompass sehen sollte. Er und Ludka drehten ihn so, dass das N und das S unter die zitternde Nadel kamen, „einnorden" hatte Aglaija das genannt.

„Wir fahren tatsächlich genau nach Süden", rief Ludka begeistert. Sie war es aber auch, die sagte, sie müssten jetzt ihre Vorräte portionieren.

„Portio… was?“

„Zu Hause, hinterm Bug, wenn wir Butter gemacht haben, dann wurde die in Portionen eingeteilt. Die Butter kam in kleine Holzformen, wurde fest gepresst. Und wenn man sie herausnahm, war oben drauf eine Kuh oder ein Kleeblatt eingedrückt. Das sah hübsch aus.“

„Ja, und? Wir haben doch gar keine Butter“, sagte Ambromow.

„Auuu!“, machte Ludka. „Du immer … Ich mein ja bloß. So ein Stück Butter musste dann eine Woche reichen. Die übrige wurde verkauft.“

„Was redest du denn immerzu von Butter?“

„Jetzt halt doch mal den Mund! Ich will doch nur, dass wir nicht wie bisher alles hintereinander aufessen, und dann haben wir nichts mehr. Sondern, dass wir das, was wir haben …“

„Portionieren!“, ergänzte Ismael, der nun ein neues Wort gelernt hatte.

„Genau!“

Das leuchtete ein, war aber leichter gesagt als getan. Die Zwillinge stöhnten. „Dazu müssten wir ja alles erst mal auspacken.“

Weil dazu im Moment niemand Lust hatte, verschoben sie es auf später, setzten sich in die offene Tür des Waggons, ließen die Beine baumeln und aßen Äpfel und etwas von dem Zwieback aus der Nürnberger Schachtel.

Zuweilen fuhren sie durch einen Bahnhof oder überquerten eine Straße, hielten aber noch immer nicht wieder an. Die Menschen winkten ihnen manchmal zu. Sie schienen sich an ihrem Anblick zu freuen, denn wenn in den Zügen nicht mehr verhungernde Menschen oder Soldaten transportiert wurden, sondern Äpfel essende Kinder, dann schien es wieder Hoffnung auf dieser Welt zu geben.

Jetzt begann der Zug, bergauf zu schnaufen. Es wurde Abend, es wurde Nacht, immer weiter fuhr der Zug, und die Kinder legten sich schlafen. „Klabumm, klabumm, klabumm“, machten die Räder unter ihnen, und dieses gleichmäßige Geräusch zerstreute ihre geheimen Ängste und wiegte sie in den Schlaf. Es klang wie das Schlagen eines großen Herzens und „erinnerte“ ihre Körper an den Herzschlag ihrer Mutter, das erste Geräusch, das sie auf dieser Erde gehört hatten.

Die Berge

Sie erwachten, als das gleichmäßige Geräusch der Räder aufgehört hatte. Es war heller Morgen und der Zug hielt. Hielt wieder auf freier Strecke und weit und breit war kein Mensch zu sehen. Auch nicht vorn auf der Lokomotive, die Ismael eingehend untersuchte. Es schien ihm, als ob der Zug ein selbstständiges Wesen wäre, das nach eigenem Gutdünken fuhr oder stehen blieb. Sollten sie sich ihm weiter anvertrauen? Vor ihnen ragten nun die hohen Berge auf, von denen Aglaija gesprochen hatte, zum Teil schon schneebedeckt. Den Zwillingen, die so etwas noch nie gesehen hatten, machte das zuerst einmal Angst. Konnte die Welt wirklich so aussehen? Nur Stein und Schnee? Würden die felsigen, schneeigen Berge sie nicht erschlagen, die dunklen Täler sie verschlingen?

„Die Gräfin hat gesagt, wir müssen über die Berge“, sagte Ludka und zog aus ihrer Tasche die alte, zerknitterte Postkarte von Venedig, die Aglaija ihr beim Abschied in die Hand gegeben hatte. Auf der Rückseite stand noch etwas. Man konnte es kaum lesen, denn es hatte Flecken wie von Wasser oder von Tränen.

„Liebe Eltern, es ist hier der Himmel auf Erden …“, entzifferte Ludka. Alle hingen diesem Gedanken nach. „Der Himmel auf Erden“, wie mochte das sein?

Sie warteten noch einen Tag und eine Nacht. Als der Zug aber keine Anstalten machte, sich zu bewegen, stiegen sie aus, um über die Berge, diese hochragenden Gebilde aus Stein und Schnee zu gelangen und in den „Himmel auf Erden".

Der Weg führte sie zunächst durch einen Wald, gemischt aus goldenen Laubbäumen und dunklen Tannen. Das Laub raschelte unter ihren Füßen und noch schien die Herbstsonne. Aber es wurde kalt und kälter. Ab und zu hielten sie an, um die letzten Pilze zu sammeln und die kleinen Dreiecke der Bucheckern. Ein Dach hatten sie jetzt nicht mehr über dem Kopf ... So wickelten sie sich in ihre Decken und suchten Schutz unter den Bäumen. Nachts röhrten die Hirsche. Das Echo klang schauerlich zwischen den Bergen.

„Was wollen die denn?", fragte Aina.

„Sie rufen ihre Frauen", sagte Ludka.

„Können die das nicht etwas netter machen?"

Wohl nicht. Auf einer Waldwiese sahen sie einige Hirsche bei Tage. Sie sahen schön und majestätisch aus. Dann fingen die Tiere an, sich zu streiten. Sie kriegten sich nicht „in die Wolle", sondern „ins Geweih". Zuerst schlugen sie nur zu, aber dann verhakten sie sich ineinander, und es sah aus, als wolle der eine dem andern den Kopf abdrehen.

„He, lasst das! Hört auf damit! Wollt ihr wohl sofort aufhören! Ho, ho, ho, ho!", schrien die Kinder.

Die Hirsche ließen voneinander ab und schauten erstaunt zu ihnen herüber. Es sah aus, als seien sie irgendwie beleidigt, dass sich jemand in ihre Angelegenheit einmischte. Sie schüttelten die Köpfe und zogen sich dann in den Wald zurück.

Ambromow begann wieder sein Amt als Feuermacher – er hatte Zündhölzer bekommen –, und jeden Morgen kochte Ludka Kräutertee, denn sie hatten jetzt auch wieder einen Kessel und jeder für sich ein kleines Blechschüsselchen, aus dem sie trinken konnten. So gewärmt, setzten sie ihren Weg fort. Allmählich verschwanden die Laubbäume. Dichte Tannen bestimmten die Landschaft, und der Weg wurde schmaler und steiler. Einmal kamen sie an einen See, der wie ein großes grünes Auge die Berge ringsum ansah. Lange Zeit führte der Weg an seinem Ufer entlang. Das Wasser schmeckte kühl und gut.

„Wir könnten eine Weile hierbleiben", sagte Jana. Ihr tat es leid, dass die anderen sie noch immer ziehen mussten, und sie fand Zustimmung. Eine Schlafhütte aus Reisig wurde unter einer Tanne gebaut. Auf der Wiese am See wuchsen kleine lila Herbstzeitlosen, und mit vorsichtigen Schritten liefen die Zwillinge darüber hin, voller Freude.

Ambromow und Ismael interessierten sich nicht für kleine lila Herbstzeitlose. Sie überlegten, wie sie den Fisch fangen könnten, der ab und zu aus dem Wasser sprang, direkt vor ihnen. Woraus könnten sie eine Angel machen? Sie hatten keine Schnur. So banden sie einen Regenwurm mit festen Grashalmen direkt an einen Stock und hielten ihn ins Wasser. Dankbar biss der Fisch den Wurm ab und schwamm davon, ehe sie ihn fassen konnten.

„Ja, was dachtet ihr denn? Ohne Angelhaken!"

Mussten die Mädchen ihnen das unter die Nase reiben?

Aina und Daina suchten wohlriechende Kräuter. Thymian zum Beispiel. Mit seinen kleinen Blüten duftete er süß und herb und war ein gutes Gewürz. Auch Schafgarbe schmeckte klein geschnitten gut. Gundermann, Breit- und Spitzwegerich, Sauerampfer, Löwenzahn und Frauenmantel trockneten sie und legten einen richtigen Vorrat an.

Jana ging es von Tag zu Tag besser. Ludka erinnerte sich an das Krankenhaus, daran, dass die freundliche Mutter des Kindes neben Jana gesagt hatte, kranke Kinder könnten mit Milch wieder gesund werden. Nun, Milch hatten sie nicht, aber Ludka bestand darauf, dass Jana jeden Tag eins von den Käsestückchen aus Quark aß, und dass die anderen darauf verzichteten. Auch die Bergluft schien Jana das Atmen zu erleichtern. Sie lief kleine Stückchen am See und sang sogar schon wieder ihre Morgenlieder.

„Jeden Morgen geht die Sonne auf
In der Wälder wundersamer Runde.
Und die schöne scheue Schöpferstunde,
Jeden Morgen nimmt sie ihren Lauf.

Jeden Morgen aus dem Wiesengrund
Heben weiße Schleier sich zum Licht,
Uns der Sonne Morgengang zu künden,
Ehe sie das Wolkentor durchbricht.

Jeden Morgen durch des Waldes Halle
Hebt der Hirsch sein mächtiges Geweih,
Der Pirol und dann die Vöglein alle
Stimmen an die große Melodei."

Ismael verstand zwar viele Worte, aber kaum etwas vom Sinn dieses Liedes. „Was ist denn ein Pirol?", fragte er.

„Na, das ist der Vogel, der immer seinen eigenen Namen ruft", sagte Jana lebhaft. Und tatsächlich war gerade ein Vogel zu hören, der – wie Jana sogleich behauptete – immer „Petter Pirol, Petter Pirol" rief.

Ismael war ehrlich erstaunt. „Was es alles gibt!" Aber als er zu Ambromow hinsah, schüttelte der den Kopf und tippte sich an die Stirn. „Mädchen!", murmelte er.

Eines Morgens, noch ehe Jana gesungen hatte, wachte Aina auf, setzte sich hin und sah erstaunt auf ihre Füße. Sie ragten ein wenig aus der Reisighütte heraus und sahen aus wie mit Zucker bestreut.

„Leute", rief sie. „Jetzt wird es aber Zeit, dass wir über die Berge kommen. Es schneit schon."

Auch die anderen schlugen die Augen auf und krochen aus der Hütte. Nicht nur Ainas Füße, sondern die ganze Welt war wie mit Puderzucker bestreut. Es sah irgendwie feierlich aus. Als die Sonne kam, leckte sie den Schnee allerdings gleich wieder weg.

Dennoch packten sie wieder einmal alles zusammen und weiter ging es den Berg hinauf. Bald hörten die Tannen auf, und es gab nur noch niedrige Kiefern. Schließlich wurde der Weg so schmal und steil, dass sie den Leiterwagen zurücklassen mussten. Das bedeutete, dass alle nun ihr Gepäck wieder trugen. Und Jana musste von nun ab laufen. Eine große Umstellung. Immer öfter legten sie Pausen ein. Einmal, als sie so saßen und sich ausruhten, hörten sie ein helles Pfeifen. Hinter einem Felsvorsprung sahen sie Murmeltiere. Die possierlichen Tiere stellten sich auf ihre Hinterbeine und hielten in den Vorderpfoten Kiefernzapfen, an denen sie knabberten. Mit ihren flinken Bewegungen schienen sie sich zu necken, nahmen sich gegenseitig die Zapfen weg und versteckten sie. Oder eines pfiff das andere an und rannte dann weg. Als die Tierchen bemerkten, dass sie beobachtet wurden, verschwanden sie blitzartig in ihren Höhlen. Die Kinder lachten.

„So eine Höhle müsste man haben“, meinte Daina. Ambromow sah Ludka an. „Jetzt sag aber nicht, dass das verzauberte Menschen sind!“ Er musste an Pluto denken, dem Ludka ja auch schon ein „Menschsein“ angedichtet hatte.

„Wie du nur auf so was kommst?“ Ludka schüttelte den Kopf in gespieltem Erstaunen. Immerhin, auch wenn er es nicht glauben wollte, diesem Ambromow schien allmählich die „Menschlichkeit“ der Tiere aufzufallen.

Als es Abend wurde, fanden sie wenigstens einen Felsvorsprung, unter dem sie ein Feuerchen machen und ihr Nachtlager aufschlagen konnten, das heißt, sie wickelten sich in ihre Decken und schliefen eng aneinandergedrängt. Das war wärmer.

Anderntags kamen sie an eine Weggabelung. Ismael wollte den linken Weg nehmen. Aber Ambromow meinte, der würde auf den Gipfel des Berges führen und da wollten sie ja nicht hin. Sie wollten doch nur so schnell wie möglich über den Grat hinüber und bald wieder auf der anderen Seite ins Tal absteigen. Es gab einen kleinen Streit. Aber da die Mädchen auch für den Weg nach rechts waren, fügte sich Ismael.

Immer noch dachten alle, dass es möglich sei, das Gebirge vor dem „richtigen“ Wintereinbruch zu überqueren. Aber es kam anders. Der Berg, der so nah ausgesehen hatte, war in Wirklichkeit weit weg und durch eine Art Hochebene von ihnen getrennt. In der Kälte machte das Wandern wenig Spaß. Den Zwillingen taten die Füße weh, und sie und Jana setzten sich immer öfter hin. Dann musste Ludka sie aufmuntern und zum Weitergehen überreden: Wollten sie nicht bald wieder in ein waldiges, grünes Tal kommen?

Je höher sie stiegen, desto dünner wurde die Luft, und das Atmen fiel schwerer. Am zweiten Tag fing es auch noch an zu schneien. Es schneite und schneite, und schließlich wurde der Schnee so dicht, dass man kaum noch etwas sehen konnte. Und ein starker Wind pfiff ihnen um die Ohren. Hohe Schneewehen türmten sich auf, sodass man den Weg nur noch ahnen konnte. Angst ergriff die Kinder mit kalter Hand. Würden sie hier in der weißen Wüste erfrieren müssen? Ambromow fürchtete, dass sie sich verlieren könnten. Darum hielt er an und kramte aus seinem Sack das Seil, mit dem Koza den Leiterwagen festgebunden hatte. Er knotete es sich um den Bauch und sagte den Mädchen, sie sollten sich in ihre Decken wickeln und das Seil in die Hand nehmen. Ismael sollte als Letzter gehen und sich ebenfalls das Seil umbinden. So würden sie niemanden zurücklassen.

Aus dem Wind wurde ein tobender Schneesturm. Ambromow schrie immer wieder: „Weiter, weiter! Nicht aufgeben! Es geht schon!"

Wohin es gehen sollte, das wusste er allerdings auch nicht. Bald wieder abwärts, hoffte er. Er fühlte in sich einen starken Überlebenswillen und Verantwortung für die anderen fühlte er auch. Er tastete sich an der Steilwand entlang und versuchte, immer mit dem Berg in Berührung zu bleiben, ja, er redete sogar mit ihm und schrie ihn an.

„Du riesiger Berg!", schrie er. „Wir brauchen deine Hilfe, dass wir auf deinem Weg bleiben können, denn der Schneesturm will uns von dir wegreißen. Das darfst du nicht zulassen. Das geht gegen deine Bergesehre. Verstehst du? Es ist deine Pflicht, uns zu tragen und zu beschützen. Oder willst du dem Schneesturm den Sieg über uns Kinder überlassen? Das würde ich mir an deiner Stelle gut überlegen. Soll es vielleicht heißen, der große Berg war zu schwach, um mit diesem verdammten kleinen Schneesturm fertig zu werden? Hat sich die Leute einfach wegnehmen lassen? Was für ein Berg ist das? Können wir ihn überhaupt noch einen Berg nennen? Also Berg: Zeig deine Stärke. Es ist nicht unmöglich, dass wir es schaffen. Verstehst du mich, verdammt noch mal?"

So redete er sich in Wut und zog und zerrte die anderen

mit sich, wuchs über sich hinaus und zeigte eine Kraft, die ein Zwölfjähriger eigentlich gar nicht haben konnte.

Weil er so stark war und stetig voranstrebte, schwand bei den andern die Angst ein wenig. Schritt für Schritt schoben sie sich weiter. Einmal rutschte Jana aus. Aber Ambromow und Ludka zogen sie sofort wieder auf den Pfad. Für Ismael, den Letzten, war es, als ob sich die weiße Hölle hinter ihm beständig aufs Neue schloss, nachdem er ihr immer wieder gerade noch entkommen war. Wortfetzen drangen zu ihm. Er richtete seine Gedanken ganz auf seinen Freund Ambromow, der ihn schon durch so viele Gefahren geleitet hatte und der da vorne den Berg anschrie mit der Wut der Verzweiflung.

Aber der Kampf des Berges mit dem Schneesturm dauerte an und drohte, sie zu zerreiben. Bald konnten sie sich nur noch durch die Schneewehen wühlen. Als es auch noch dunkel wurde, sanken sie schließlich völlig erschöpft gegen die Felswand und schliefen ein. „Und ob ich gleich wandre im finstersten Tal, fürcht ich kein Unheil, denn Du bist bei mir …", hörte Ismael im Halbschlaf wieder die sanfte Stimme seines Vaters. Obwohl es so kalt war, wurde ihm warm. Der Schnee deckte sie alle zu.

Als Erster erwachte Ambromow. Er richtete sich auf und blickte um sich. Es war totenstill. Der Schneesturm hatte aufgehört. Neben sich sah Ambromow die anderen wie kleine Schneehaufen liegen. Wer hatte nun gesiegt, der Berg oder der Schneesturm? Angsterfüllt zerrte Ambromow an dem Seil.

„Wacht auf", schrie er. „Wacht auf. Es ist vorbei!"

Zu seiner Erleichterung erwachten alle.

„Wo sind wir?"

Weit und breit war alles weiß, aber als Ambromow sich zurücklehnte, bemerkte er etwas Merkwürdiges: Es war nicht die Wand des Berges, an der sie saßen, sondern eine Mauer, eine von Menschenhand gemauerte Mauer.

Wie elektrisiert sprang Ambromow auf, knotete das Seil ab, tastete sich an der Mauer entlang und um die Ecke. Da war doch tatsächlich eine Tür. Mit den Händen schaufelte er den Schnee davor zur Seite, öffnete sie und trat ein. Eine Schutzhütte in den Bergen!

Er rief die anderen, die langsam, völlig überrascht und staunend hereinkamen. Wieder einmal war ein Wunder geschehen.

Es gab einen Herd, etwas Reisig daneben und Holzspäne sowie dickere Äste, und es sah so aus, als ob da vor gar nicht langer Zeit Feuer gemacht worden wäre. Aber von wem? Ambromow nahm von dem Reisig und zündete seinerseits ein Feuer an. Die andern saßen da wie gelähmt und starrten in die Flammen, so, als könnten sie nicht glauben, was sie sahen. Ambromow nahm ihren Kessel, holte Schnee, den er zu Wasser taute. Er schüttete ein klein wenig Sirup hinein und gab dann jedem von diesem heißen, süßen Wasser zu trinken. Lange Zeit saßen alle nur so da. Ab und zu legte Ambromow Holz nach. „Vielen Dank, Ambromow", sagte Jana matt. Die anderen nickten. Dann schliefen alle wieder ein.

Als sie abermals erwachten, war das Feuer bis auf einen kleinen Gluthaufen heruntergebrannt. Diesmal stand Ludka auf, holte Schnee im Kessel und machte sich daran, eine Suppe zu kochen, mit Mehl und Bohnen. Ismael kümmerte sich um das Feuer. Es dauerte eine Weile mit der Suppe, aber sie hatten ja nun keine Eile mehr. Ihnen kam alles immer noch wie ein Traum vor. Sie bewegten sich langsam, so, als wollten sie einander nicht aufwecken, damit der schöne Traum nicht endete.

Jana und Ambromow saßen dicht beim Feuer. Während die anderen immer munterer wurden, schien bei ihnen die Erschöpfung erst jetzt hervorzutreten.

Die Zwillinge halfen, die Suppe zu schöpfen und die Blechschüsselchen zu verteilen. Zuvor hatten sie einander lange Zeit gegenseitig die Füße gerieben und so die gefühllosen Zehen wieder zum Leben erweckt. Dicke Frostbeulen begannen zu jucken und zu brennen. Es war zum Jammern.

Jetzt saßen sie da und löffelten schweigend ihre Suppe. Alles war gut, und doch beschlich sie allmählich ein merkwürdiges Gefühl – als seien sie nicht allein in der Hütte. Niemand hätte zu sagen gewusst, woher dieses Gefühl kam. Es war nichts zu hören. Dennoch wurde es ihnen immer unheimlicher.

„Oben ist doch ein Heuboden. Vielleicht ist da jemand", flüsterte Aina. Ihre Augen waren vor Angst geweitet, als sie an die Decke blickte, wo es eine Luke gab.

Eine Leiter lehnte daran. Alle betrachteten sie. Wer

würde hinaufklettern wollen? Niemand fand sich. Alle aßen schweigsam ihre Suppe.

Aber nach einiger Zeit war es ihnen, als hörten sie ein ganz leises Wimmern. Oder war das nur der Wind?

„Vielleicht ist da oben eine Katze“, sagte Daina.

Jetzt raffte sich Ambromow auf, einmal nachzusehen. Er stieg die Leiter hinauf, betrat den Dachboden und wühlte hier und da ein bisschen in dem Heu, das hier lag. Auf einmal hörte man ihn lachen.

„Ja, was machst du denn hier?“, rief er.

Kurz darauf erschien Ambromow wieder auf der Leiter, und auf seinem Rücken trug er – einen kleinen Jungen.

Er setzte ihn vor dem Herd ab. Ein rundes Gesicht schaute unter einer dicken Mütze hervor. Die Bäckchen waren von der Kälte gerötet wie Äpfel, und mit schwarzen Knopfaugen schaute der Junge ängstlich von einem zum andern. Sein Mund war zum Weinen verzogen, aber es kam kein Laut.

„Ach, ist der süß!“, riefen die Zwillinge – einmal wieder wie aus einem Munde – und klaubten ihm das Heu von der kleinen Filzjoppe. Jana wollte ihn auf den Schoß nehmen, aber der Kleine wehrte sich und streckte seine Arme nach Ambromow aus.

„Oh, nee“, rief der. „Das fangen wir gar nicht erst an.“

So blieb der Junge fürs Erste auf dem Boden sitzen.

„Wie heißt du denn?“, fragte Aina.

„Kann der überhaupt schon sprechen?“, fragte sich Daina laut.

Der Kleine sagte nichts.

Ludka holte einen Löffel mit Sirup. Zuerst wandte der Junge sein Gesicht ab. Aber dann schaute er immer wieder auf den Löffel, den Ludka ihm geduldig hinhielt. Schließlich leckte er ein wenig daran, und dann nahm er ihn ganz in den Mund. Als Ludka den Löffel wieder herausziehen wollte, griff er danach und hielt ihn so lange fest, bis kein bisschen Sirup mehr daran war. Dann strecke er ihn Ludka erneut hin.

Alle waren so begeistert von dem kleinen Schauspiel, dass sie für eine Zeit ihre traurige Lage ganz vergaßen. Sie lachten und erzählten sich gegenseitig immer wieder das, was doch alle anderen auch sahen.

„Na? Erzählst du mir jetzt, wie du heißt?", fragte Ludka.

Der Kleine schüttelte den Kopf, flüsterte dann aber in ihr Ohr: „Ja ne snaju."

„Was sagt er?"

„Er weiß nicht."

„Aber weißt du vielleicht, wie du hierhergekommen bist?"

„Ne snaju", sagte der Kleine jetzt lauter und schüttelte den Kopf, wobei sein ganzer Oberkörper mitschwang.

„Aber wer dich hierher gebracht hat, das wirst du doch wissen?"

Nun wurde das Ganze zum Spiel. Natürlich sagte der Kleine wieder „Ne snaju" und schüttelte seinen Kopf. Aber er unterdrückte dabei ein Lächeln.

„Ach, du kleiner Zwerg", rief Ludka und kitzelte ihn. „Wir werden dich einfach Snaju nennen."

Aina und Daina nahmen ihn in die Mitte und spielten mit ihm „Pinke, panke, puster“. Das versteht man auch ohne Worte. Aber dann wurde der Junge wieder ernst und zeigte auf die Tür, als warte er auf jemanden. Und irgendwer musste ja irgendwann kommen. Der Kleine konnte hier ja nicht alleine leben. Aber wer mochte das sein? Wieder wurde es ihnen unheimlich.

Um ihre Ängste zu unterdrücken und sich abzulenken, machte Ludka einen Vorschlag. Sie kam zurück auf eine Sache, die sie schon einmal hatte tun wollen: „Jetzt wird endlich portioniert“, sagte sie und den andern fiel nun keine Ausrede mehr ein.

„Für wie lange denn?“, fragte Ismael.

„Na, der Winter dauert von November bis Februar. Das sind vier Monate.“

„Vier Monate im Schnee?“ Das hörte sich sehr, sehr lange an. Den Kindern graute.

„Aber woher weißt du, dass nicht schon Dezember oder Januar ist, Ludka?“, entgegnete Ambromow. Die anderen nickten dazu und schon wollte sich keiner länger mit diesen betrüblichen Fragen beschäftigen. So kümmerten sich nur Ludka und Jana um die Vorräte, teilten sie ein und lagerten sie in einer alten Holzkiste, die in der Ecke stand. Es wurde beschlossen, dass nur sie an die Kiste gehen durften, um die Vorräte zu verwalten. Das war neu und wurde mit gemischten Gefühlen aufgenommen. Jana und Ludka fühlten die Verantwortung.

Am Nachmittag des zweiten Tages hörten sie ein unheimliches Geräusch, das immer näher kam. Es klang wie ein Kratzen und Schaben im Schnee. War das ein Bär? Schließlich hielt es vor dem Haus an. Jemand oder etwas versuchte, die Tür zu öffnen, was aber schwierig war, da die Tür nach außen aufging und es erneut heftig schneite. Man konnte hören, wie der Schnee beiseitegeräumt wurde. Die Kinder erinnerten sich angstvoll an das Erlebnis in der Kapelle, damals, als plötzlich die Räuber auftauchten. Nur Snaju schien keine Angst zu haben. Er wies immer wieder zur Tür und sah alle an, als wolle er ihnen etwas sagen. Oder wollte er sie etwas fragen?

Dann flog die Tür mit einem Ruck auf. In einem Haufen Schneegewirbel kam ein Junge herein, ungefähr so groß wie Ambromow und mit einem toten Hasen in der Hand.

Man hätte nicht sagen können, wer überraschter war, der Neuankömmling oder die Kinder im Haus. Nur einer schien gar nicht überrascht, das war Snaju. „Gylal!", sagte er und zupfte Ludka, die ihm gerade einen Löffel Sirup hatte geben wollen, aber nun wie erstarrt dasaß, am Ärmel.

Aber da schrie der Junge los: „Was habt ihr, verflucht noch mal, hier zu suchen? Das ist mein Haus. Verschwindet! Auf der Stelle! Raus mit euch!" Er sprach Russisch.

„Moment mal, wie stellst du dir das denn vor?", fragte Ambromow.

Aber der Junge, den Snaju Gylal genannt hatte, war offenbar so in Panik, dass er nur noch schreien konnte: „Halt's Maul, du Bastard. Du hast hier gar nichts zu sagen." Und er schlug mit dem Hasen nach Ambromow. Der riss ihm das tote Tier weg und warf es Ismael zu.

Darauf stürzte sich Gylal auf ihn, und die beiden fingen an, sich zu prügeln. Der Schnee fegte zur Tür herein, aber keiner wagte, sie zu schließen. Bald wälzten sich die Jungen am Boden, einer mit blutender Nase, der andere mit einem dicken Auge.

„Jetzt ist es aber genug!“, rief Jana. Und auf einmal schrien alle: „Halt, aufhören. Hört sofort auf damit!“

Die Kämpfenden setzten sich hin. Der Kampf endete unentschieden. Damit schienen sie fürs Erste leben zu können. Ismael gab jedem der beiden einen Schneeball, damit wischte Gylal sich seine blutende Nase, und Ambromow kühlte sein zusehends blau werdendes Auge.

Snaju ballte seine kleine Faust und schlug sie in seine linke Hand. „Gylal macht so! So!“, sagte er dazu. Da mussten alle lachen. Gylal war die Fellmütze vom Kopf gefallen, und nun konnte man sehen, wie ähnlich er Snaju war. Dasselbe runde Gesicht, die Apfelbacken und die kleinen schwarzen Augen. Dazu schwarze Haare, die wie ein Fell seinen Kopf bedeckten. Die Sympathie, die sie für Snaju empfanden, übertrugen sie – trotz der Prügelei – auch ein wenig auf seinen Bruder.

Jana holte Schnee im Kessel und kochte einen Kräutertee, wie sich das gehört, wenn Besuch kommt. Nur, wer war hier der Gast und wer der Gastgeber? Erst einmal saßen sie alle stumm da und lauschten auf das Summen des Schneewassers, das langsam zum Kochen kam. Die Zwillinge verteilten die Blechschüsselchen mit Tee. Sie gaben Gylal die erste Schüssel und tranken dann zusammen aus einer. Ludka gab Snaju nun endlich den ersehnten Löffel Sirup und dann löffelweise den Tee.

Gylal beobachtete das alles genau, und es schien ihn friedlich zu stimmen. Nach einer Weile sagte er: „Ich muss das Reisig reinholen, sonst schneit es zu."

Er stand etwas mühsam auf, nahm den Hasen und hinkte zur Tür.

Ismael folgte ihm. „Ich werde dir helfen."

Draußen fragte Gylal: „Kannst du mir auch helfen, den Hasen zu häuten und zurechtzumachen?"

Ismael nickte, ging wieder hinein, holte den Dolch von Ambromow und einen Kochtopf. Es dauerte ziemlich lange, bis sie das Tier gehäutet und in Stücke geschnitten hatten. Allmählich wurden ihnen vor Kälte die Finger steif. Aber Gylal wusste genau, was zu tun war. Er machte das offenbar nicht zum ersten Mal. Und Ismael half, so gut er konnte. Alles, was irgendwie essbar war von dem Hasen, taten sie schließlich in den Kochtopf und füllten ihn mit Schnee. Das Fell schabten und wuschen sie ab, ließen es aber erst einmal an der Hauswand liegen. Dann nahm Ismael den Topf und Gylal das Reisigbündel, das fast so groß war wie er selbst, und so traten sie wieder in die Hütte.

Die Mädchen blickten erst den Kochtopf und dann Gylal fragend an. Der sah nachdenklich in die Runde, sah seinen kleinen Bruder auf Dainas Schoß sitzen und sagte schließlich: „Ja, dann kocht's eben!", was wohl das Essen danach mit einschloss. Dann wendete er sich dem Reisigbündel zu, das er aufschnürte und nahe am Herd aufhäufte, damit es trocknen konnte. Den Strick, mit dem es zusammengebunden war, rollte er sorgfältig ein.

„Ambromow, mach Feuer", rief Ludka. Ambromow hatte seit der Schlägerei nichts mehr gesagt. Er saß da, trank Tee und kühlte sein Auge mit Schnee. Auch jetzt blieb er sitzen und wies mit einer lässigen Kopfbewegung auf Gylal. Sollte der sich doch darum kümmern, mit seinem Reisig! Aber Gylal war erschöpft, und auch Ismael konnte nicht mehr. Sie beide hatten lange in der Kälte gearbeitet und waren völlig durchgefroren. So setzten sie sich nahe an den Herd und warteten. Es glomm nur noch ein letzter Rest Glut. Ludka sah zu Jana. So konnte es ja wohl nicht weitergehen.

Also holte Jana die noch vorhandenen Späne und fachte das Feuer wieder an. Sie legte Reisig nach und Ludka stellte den Topf auf das Herdloch. Hase, ausschließlich in Schnee gekocht, würde nicht gut schmecken. Darum bat Ludka die Zwillinge, eine Handvoll von ihren Kräutern hineinzutun, Thymian zum Beispiel. Jana musste Schnee nachfüllen, denn wenn er zusammenschmolz, gab es zu wenig Wasser im Topf. Ludka rührte um. Allmählich begann es, angenehm zu duften. Immer öfter sahen alle erwartungsvoll zum Herd herüber. Das Wasser lief ihnen im Munde zusammen.

Gylal und Ambromow saßen derweil stumm da. Die Luft zwischen ihnen war zum Schneiden. So etwas hatte es in diesem „Wolfsrudel" noch nie gegeben. Besorgt blickte Ismael die großen Mädchen an. Aber die widmeten sich erst einmal dem Kochen. Und das dauerte. Das einzige Licht kam vom flackernden Herdfeuer. Draußen schneite es weiter. Die beiden Fensterchen der Hütte hatten weiße Gardinen bekommen.

Die Schneestille, das Knistern des Feuers, das Blubbern der kochenden Hasensuppe, ab und zu die hellen Stimmen der jüngsten Kinder, das warme Halbdunkel – das alles umhüllte Gylal und lullte ihn in einen sanften Schlaf.

Er erwachte davon, dass jemand ihn an der Schulter rüttelte. Er fuhr hoch, schlug um sich und …

„Jetzt schrei aber nicht gleich wieder los", sagte Ludka. „Alles in Ordnung. Dein Hasenklein ist fertig. Möchtest du es verteilen?"

Gylal sah sich um. Am Herdrand standen sechs Blechschüsselchen und warteten darauf, gefüllt zu werden. Ludka folgte seinem Blick.

„Wir haben nur sechs. Aber die Zwillinge werden Snaju mitfüttern, und ich warte, bis Jana gegessen hat. Du kannst meine Schüssel haben."

„Wer ist Snaju?" fragte Gylal. Es dauert eine Weile, bis er wieder wusste, was alles passiert war. Dann überlegte er. Da war nicht nur dieser Junge, mit dem er sich geprügelt hatte. Da war noch etwas anderes: Wer war der Herr im

Haus? Wer hatte das Sagen? Er, der zuerst hier gewesen war, oder die anderen, die es zu sechst hier hereingeweht hatte?

Ganz klar kam er zu dem Ergebnis: Der Hase und die Hütte gehörten ihm, aber die anderen waren nun einmal in der Mehrzahl. Sechs gegen einen. Und dann dachte er: Wie leicht hätten sie ihn überwältigen und rausschmeißen können. Aber sie behandelten ihn mit Achtung und Freundlichkeit. Hatte er das überhaupt schon einmal erlebt? Ganz zu schweigen davon, wie nett sie zu seinem Bruder Aigyl waren, den sie Snaju nannten. Allerdings der große Junge?

Gylal stand auf, ging zum Herd und schöpfte mit einem Becher die Hasensuppe oder das Gulasch oder das Hasenklein, oder wie man es nennen wollte. Er bemühte sich, in alle Schüsseln gleich viel zu geben und zwei Portionen im Topf zu lassen. Er besserte noch einmal nach, bis er glaubte, dass alle nun gleich viele Fleischstücke hatten, und setzte sich dann mit seiner Schüssel hin. Auch die anderen Kinder holten sich ihre Portion. Während des Essens herrschte Schweigen. Nur die Zwillinge schwatzten wieder leise mit Snaju, während sie ihn abwechselnd fütterten. Wenn man nicht genau hinhörte, klang es wie Vogelgezwitscher. Jana und Ludka aßen abwechselnd. Fleisch waren sie nicht gewöhnt. Es schmeckte streng, aber es machte schön satt. Jana füllte ihre und Ludkas gemeinsame Schüssel ein zweites Mal und verteilte den Rest auf die Zwillinge. Snaju schmatzte vergnügt.

Die beiden großen Jungen grübelten angestrengt, während sie löffelten. Es war abzulesen an ihren gerunzelten Stirnen. Sehr bedrohlich sahen sie dabei jedoch nicht aus, der eine mit seiner dick geschwollenen Nase und der andere mit einem blauen Auge. Eher komisch war das.

„Na gut“, fing Gylal dann an. „Ihr könnt bleiben, solange der Schnee die Wege versperrt. Aber ich hab hier das Sagen.“

„Das denkst auch nur du!“, schrie Ambromow sofort. Ismael hatte Angst. Würden sie sich jetzt wieder prügeln?

„Ich bin der Älteste!“, schrie Gylal zurück und stellte seine Schüssel neben sich auf den Boden. Herausfordernd sah er Ambromow an.

Da fragte Jana wie nebenbei: „Seit wann seid ihr zwei denn schon hier, und wo seid ihr hergekommen?“

Gylal wartete, bis Ludka übersetzt hatte, dann wandte er sich ihr zu. „Wir waren schon vor dem Schnee hier. Die Hütte hat mir gefallen. Und es waren auch noch Vorräte da. Aber in letzter Zeit essen wir nur Tiere, die ich fange. Der Hase hätte für uns eine ganze Woche gereicht.“

„Wie fängst du die denn?“, wollte Ismael wissen.

„Ich lege Schlingen aus. Im Schnee funktioniert es besonders gut.“

„Wolltet ihr hier wohnen bleiben?“, fragte Daina.

„Eine Weile schon. Euch gefällt die Hütte doch auch. Aber eigentlich wollen wir nach Hause, in die Ukraine.“

„Wo ist denn das?“

„Irgendwo da, weit im Osten.“

„Sind da eure Eltern?"

„Nein."

Snaju, satt und zufrieden, war auf Dainas Schoß eingeschlafen.

„Ganz schön schwer, aber warm", sagte sie lachend und ließ den Kleinen langsam neben sich auf ein Heubündel gleiten. Gylal betrachtete seinen Bruder voller Liebe.

„Mein Vater ist schon lange tot. Grubenunglück in der Ukraine, sagten sie. Meine Mutter hat bei den deutschen Soldaten gearbeitet. Die haben sie dann mitgenommen als Fremdarbeiterin und mich und meinen Bruder dazu. Bei einer deutschen Familie im Sudetenland hat meine Mutter gearbeitet, als Köchin. Als der Krieg zu Ende war, wurden in dem Dorf viele Deutsche erschossen. Aus Versehen meine Mutter auch. Aigyl saß auf ihrem Schoß, als es passierte. Aber er weiß nichts mehr, kann sich an nichts erinnern. Meine Mutter hat immer gesagt, ich soll nach Hause gehen und Aigyl mitnehmen, falls etwas passiert."

Gylal hielt inne. Er fühlte ein Brennen in den Augen und sagte dann barsch: „Aber warum erzähl ich euch das eigentlich alles?"

„Es ist gut, wenn man sich wenigstens noch an seine Mutter erinnern kann", hörte Ambromow sich sagen, und Gylal schaute ihn verwundert an.

„Weißt du eigentlich, wie alt du bist?", fragte Jana. Und Gylal meinte, er sei zwölf.

„Und wann hast du Geburtstag?"

Das wusste Gylal nicht genau, aber er erinnerte sich, dass es Sommer war, wenn seine Mutter ihm ein besonderes Geschenk gemacht hatte, einen Kuchen oder so etwas.

„Ambromow ist auch zwölf. Aber er hat im Frühjahr Geburtstag“, behauptete Ismael mit Nachdruck. „Also ist er älter als du. Und der Älteste hat immer das Sagen.“

In Gylals Kopf schien es zu arbeiten. Die Rechte eines Erstgeborenen waren ihm wohlbekannt. Aber traf das auch hier zu? Er betrachtete die Kinder um sich herum. Sie waren wie eine Familie. Und er und Aigyl? War ihre Chance zu überleben nicht größer, wenn sie sich in diese Kinderfamilie eingliederten? Er schaute noch eine Weile still vor sich hin und sagte dann: „Also gut. Der Älteste soll das Sagen haben.“

Ambromow nickte. Er war wieder der unangefochtene Leitwolf des Rudels, das nun zwei Mitglieder mehr hatte, einen sehr nützlichen Jungwolf und ein ganz und gar unnützes und bedürftiges, kleines Wölfchen. In Ambromow stiegen die gleichen Gefühle auf wie damals, als ihm der Weichselschiffer das Ruder in die Hand gedrückt hatte: Angst vor der Verantwortung, die auf ihm lastete, und zugleich Stolz darüber, dass er es war, der diese Aufgabe zu meistern hatte und meistern konnte.

Ludka erhob sich und holte aus der Vorratskiste etwas ganz Besonderes: Für jeden eine getrocknete Aprikose von der Gräfin.

„Willkommen, ihr bei uns und wir bei euch“, sagte sie, und alle waren zufrieden. Jeder biss kleine Stücke von seiner

Aprikose ab und ließ sie erst im Mund quellen, ehe er sie zerkaute und schluckte. Gylal allerdings steckte sich die Frucht ganz in die Backe und ließ sie da eine ganze Weile stecken, wie ein Erwachsener seinen Kautabak. Er spuckte aber nicht aus, sondern saugte ab und zu daran und schluckte dann den Saft. Die andern fanden das sehr männlich.

„Und ihr?", fragte Gylal nach einer Weile und meinte wohl, wo die anderen denn herkämen. Aber wo sollte man da anfangen? Vielleicht würden sie nacheinander berichten, Tag für Tag, bis jeder einmal dran war und alles erzählt war. Langsam ging das Feuer aus. Ambromow stieg die Leiter zum Heuboden hinauf, Snaju auf seinem Rücken. Die andern folgten ihm, und jeder grub sich zum Schlafen im Heu ein. Snaju schlief zwischen den Zwillingen.

Als Aina aufwachte und Snaju nicht neben sich fühlte, kroch sie zur Luke und sah hinunter. Ein schwacher morgendlicher Lichtschein fiel herein, und es brannte ein kleines Feuer. Gylal hatte Schnee geholt und war dabei, Snaju die Hände zu waschen und dann das Gesicht, den Hals und die Ohren. Snaju jammerte leise, aber Gylal redete beruhigend auf ihn ein. „Das muss sein. Man muss alles richtig machen, um ein richtiger Mensch zu sein, verstehst du?" Snaju verstand offenbar nicht und jammerte noch mehr, als Gylal ihm nun auch noch die Füße mit Schnee wusch.

Aina verstand nicht, was da unten vor sich ging. Sie weckte leise die anderen. Bald lagen alle um die Luke herum und beobachteten das Schneewaschereignis.

Gylal war jetzt dabei, sich selbst zu waschen, die Hände, das Gesicht samt Ohren und schließlich die Füße. Er machte das sehr sorgfältig und auf eine bestimmte Weise. Dann breitete er Snajus kleines und sein eigenes großes Halstuch auf der Erde aus. Davor standen die zwei jetzt, legten die Hände auf ihre Herzen und Gylal sagte: „O Allah! Entferne mich von meinen Sünden so weit, wie du den Osten von dem Westen entfernt hast. O Allah! Reinige mich von meinen Sünden, wie weißer Stoff von Schmutz gereinigt wird. O Allah! Wasch mich von meinen Sünden rein mit Wasser, Eis und Schnee." Dann verbeugten sie sich.

„Was für Sünden sollen die denn haben?", flüsterte Daina.

Ismael entgegnete ebenso leise: „Snaju hat keine. Aber Gylal hat sich mit Ambromow geprügelt und den Hasen getötet."

„Pscht", machte Ludka.

Gylal murmelte etwas.

„O Alla-alla-alla", sagte Snaju. Dann knieten sich beide auf ihre Tücher, wobei Gylal seinen kleinen Bruder erst zurechtrückte, ihm dann die Hände nach vorn legte und seinen Kopf sanft auf den Boden beugte.

Dann richteten sie sich wieder auf, setzten sich auf ihre Unterschenkel. Gylal sagte ein Gebet: „Im Namen Allahs, des Gnädigen, des Barmherzigen. Am Tag und bei der Nacht, wenn sie am stillsten ist, dein Herr hat dich nicht verlassen, noch ist er böse. Wahrlich, jede Stunde, die kommt, wird besser für dich sein als die, die ihr vorausging. Und fürwahr, dein Herr wird dir geben, und du wirst wohl zufrieden sein. Fand er dich nicht als Waise und gab dir Obdach? Fand er dich nicht irrend und leitete dich? Und er fand dich in Armut und machte dich reich. Darum verkünde die Gnade deines Herrn. Gylal wandte sich an seinen Bruder. „Aigyl, sag: ‚Willkommen ist mein Herr, der Allerhöchste'."

„Allerhöchste", sagte Snaju, und beide verneigten sich wie zuvor.

Dann erhoben sie sich auf ihre Fäuste gestützt, nahmen ihre Tücher und banden sie sich wieder um den Hals. Gylal legte die Hände auf die Schultern seines Bruders und sagte: „Du bist gut!"

Und Snaju umarmte die Knie von Gylal – höher reichte er nicht – und sagte: „Gut, gut, gut."

Die Kinder an der Dachluke spürten das Besondere des Augenblicks. Noch eine ganze Weile verhielten sie sich still, ehe sie zu den beiden nach unten stiegen.

Ambromow legte frisches Reisig auf die Glut, Jana holte Schnee im Kessel und Ludka den kleinen Kanister mit Sirup. So wurde der heiße Morgentrunk bereitet, den alle schlürfend tranken. Der Tag hatte begonnen, doch es herrschte noch immer dämmriges Dunkel in der Hütte.

„Ja, wenn auch die Fenster zugeschneit sind!", sagte Gylal, ging hinaus und schaufelte sie frei. Licht drang nun nach innen.

„Schön habt ihr gebetet", sagte Daina, als Gylal wiederkam. Die andern sahen sie vorwurfsvoll an.

„Wir könnten doch auch mal so beten", fuhr Daina unbekümmert fort und wiederholte: „Es sah so schön aus."

„Das geht nicht", erwiderte Gylal. „Wir sind Moslems. Und nur Moslems beten so." Es hörte sich unwirsch an. Da fügte er versöhnlich hinzu: „Sicher habt ihr auch eure Gebete."

„Selbstverständlich. Daina hat ja auch nur Spaß gemacht. Entschuldige, dass wir zugeschaut haben." Aina war es peinlich.

Aber Daina ließ sich nicht abwimmeln. „Ich habe keinen Spaß gemacht. Mit Gebeten macht man keinen Spaß. Und wenn wir schon nicht so beten sollen, waschen könnten wir uns doch wenigstens." Jetzt widersprach Ambromow energisch und meinte, Ludka habe nur mal was von samstags gesagt.

„Ja, ja. Samstag ist aller schmutziger Menschen Trost!", spottete Jana.

„Und wann wäre denn überhaupt Samstag?", fragte Ismael.

Ludka überlegte. „Heute könnte Montag sein, dann wäre in sechs Tagen Samstag." Sie schaute auf der Erde herum und sammelte dann sieben kleine Steinchen auf.

„Das ist jetzt mein Wochenkalender." Sie wischte einen Mauervorsprung neben dem Herd ab. „Sechs Steinchen links, das sind die Tage, die noch kommen. Ein Steinchen rechts, das ist der Montag, der ist schon da. Morgen kommt der Dienstag von links nach rechts." Und sie zeigte, dass das rotbraune Steinchen der Dienstag sein würde, der morgen auf die rechte Seite zum grauen Montag wandern müsse.

Jetzt kam Ambromow wieder mit seinen klugen Argumenten: „Alles schön und gut, aber woher willst du wissen, dass heute Montag und nicht Mittwoch oder Freitag ist?“

„Mein lieber Ambromow“, begann nun Ludka. „Vielleicht ist dir nicht bekannt, wie Gott die Welt erschaffen hat. Er machte das in sieben Tagen. Und natürlich fing er an einem Montag an, arbeitete die ganze Woche und ruhte sich am Sonntag aus. Nur musst du bedenken, dass es zu der Zeit noch gar keine Woche gab. Er nahm also irgendeinen Tag und sagte: ‚So, das ist jetzt mal Montag, da will ich Erde und Himmel, Sonne und Mond erschaffen. Und wenn ich damit fertig bin, dann ist Dienstag, da mach ich dann was anderes.‘ Und genau so tun wir es jetzt auch. Wir sagen: So, das ist jetzt mal Montag.“

Alle hatten ihr fasziniert zugehört und Ambromow fiel nichts ein, was er darauf hätte antworten können.

„Erzähl nur weiter“, sagte er.

„Ich weiß nicht mehr, was Gott eigentlich am Dienstag gemacht hat“, meinte Ludka und Ismael fügte hinzu, dass Gott sich überhaupt ein bisschen wenig Zeit genommen hätte, sonst wäre nicht alles so danebengeraten. Es gäbe zum Beispiel keinen blöden Bezirksvorsteher, und sie könnten jetzt noch bei Aglaija wohnen.

„Na“, erwiderte Ludka darauf, „den hat er doch damals nicht gemacht. Sonst hätte der ja jetzt schon einen ellenlangen weißen Bart.“ Da mussten alle lachen.

Am anderen Tag wollte Gylal nach seinen Fallen sehen, vielleicht war ja ein zweiter Hase hineingeraten. Zusammen mit Ambromow machte er sich am späten Nachmittag auf den Weg.

Als sie fort waren, wussten die anderen nicht, was sie machen sollten. „Erzähl doch was, Jana", bat Daina.

Jana holte für jeden einen Apfelring aus der Truhe. Dann setzten sich alle eng an den Herd, in dem das Feuer vor sich hinglomm, und Jana erzählte die Geschichte vom Mandarinenbaum und den drei Prinzessinnen. Ludka übersetzte so gut es ging für die anderen.

„Es war einmal ein König, der hatte drei Töchter. Zwei davon waren wie die meisten Mädchen, ganz nett und auch ganz hübsch. Aber die Jüngste war so klug und schön, dass alle Gelehrten nur sie unterrichten und alle Höflinge nur mit ihr tanzen wollten. Das ging natürlich nicht, denn auch die beiden anderen mussten etwas lernen und des Abends zum Tanz geführt werden. Aber sie merkten schon, dass, wo immer es ging, die jüngste Schwester ihnen vorgezogen wurde. Die Jüngste wurde traurig darüber, denn sie konnte ja nichts dafür, dass sie so wunderschön und mit so viel Klugheit und Fantasie begabt war.

Aber es wurde mehr und mehr der Frieden des kleinen Königreiches gestört. Es war, als passe die Jüngste nicht hierher und als sei das, was doch so Besonderes an ihr war, ein Makel.

Im Garten des Königs stand ein Mandarinenbaum, dessen Früchte goldene Schalen hatten. Dieser Baum trug Blüten und Früchte zugleich, sodass man das ganze Jahr über ernten konnte. Es war den Prinzessinnen vorbehalten, die Mandarinen zu pflücken, zu schälen und zu essen und die goldenen Schalen ihrem Vater, dem König, zu bringen. So füllte sich seine Schatzkammer allmählich mit Gold und darüber war er sehr zufrieden.

Eines Tages aber begann der Mandarinenbaum zu welken. Seine Blätter wurden gelb, die Früchte vertrockneten und fielen ab, ehe sie noch reif waren und ihre Schale gebildet hatten. Da war die Bestürzung groß. Vor allem der König grämte sich, fehlte ihm doch nun die Goldquelle für seine Schatzkammer. Alle Gelehrten wurden gefragt, woran dies liegen könnte, doch niemand wusste eine Erklärung dafür. Bis schließlich ein einfacher Gärtnerjunge sagte: ‚Vielleicht sollte man einmal nach der Wurzel sehen.'"

Jana unterbrach ihre Erzählung, denn ihre Zuhörer wollten wissen, was Mandarinen sind. Sie erklärte, das sei eine ganz besondere Frucht, viel süßer und saftiger als der süßeste und saftigste Apfel, und wenn sie erst in den warmen Süden kämen, würden sie sie dort finden. Allerdings nicht mit goldener Schale. Dann erzählte sie weiter:

„Gesagt, getan. Der Gärtnerjunge begann zu graben. Und was zeigte sich da? Eine Höhle, in der ein Drache hauste, der dauernd an den Wurzeln des Baumes knabberte. Der König bat den Drachen höflich, das doch zu unterlassen. Aber der grinste nur und sagte: ‚Ich höre erst auf damit, wenn mich eine der Prinzessinnen heiratet.' Das war eine Unverschämtheit und natürlich war keine der Prinzessinnen dazu bereit, einen Drachen zu heiraten, nur, damit sich die Schatzkammern ihres Vaters weiter mit Gold füllten. Und das sagten sie auch! Der Drache war beleidigt und schrie wütend: ‚Dann klau ich mir eben eine!', nahm die jüngste Königstochter, warf sie sich auf den Rücken zwischen die grün schillernden Flügel und flog davon, ehe auch nur jemand einen Finger rühren konnte."

Jana machte erneut eine Pause, weil niemand wusste, was ein Drache war, wo er lebte, wie er aussah und warum er fliegen und auch sprechen konnte. Sie gab Auskunft so gut sie es wusste, erzählte auch von anderen Drachen, etwa von Feuer speienden, musste aber zugeben, dass weder sie noch sonst jemand, den sie kannte, jemals einen Drachen gesehen hatte. Ludka kochte nebenher einen Kräutertee. Und weil der Tag so lang und die Geschichte so aufregend war, holte Jana noch für jeden einen halben Zwieback aus der Nürnberger Schachtel und strich ein kleines bisschen Schmalz darauf.

„Na, was meint ihr, wie die Geschichte weitergeht?", fragte sie dann.

Ismael überlegte kurz. Dann sagte er: „Zuerst waren alle starr vor Schreck, als der Drache mit der jüngsten Königstochter verschwunden war. Aber dann dachten die beiden zurückgebliebenen Prinzessinnen: ‚Ach, es ist gar nicht so schlecht, dass wir sie jetzt los sind, die ewig Kluge und Alerallerschönste. Da können wir endlich mal in Ruhe ganz normal sein.'"

Und Aina fügte hinzu: „Ja, und die älteste Prinzessin sagte: ‚Besorgt mir einen netten Mann als Prinzgemahl.'

Die Zweite heiratete gar nicht, sondern häkelte nur Deckchen. Und da hatten sie es nett und vergaßen allmählich ihre jüngste Schwester."

„Aber goldene Mandarinen gab es nun leider auch keine mehr", meldete sich Daina zu Wort. „Und das war wirklich sehr dumm für den König."

„Was wurde aber aus der jüngsten Prinzessin?", fragte Ludka. „Wohin sind sie geflogen, der Drache und die Königstochter?"

„Die jüngste, schönste und klügste Prinzessin flog über Berge und Täler ins Reich der Fantasie", erzählte Jana weiter. „Dort erfuhr sie von dem Drachen, dass er in Wahrheit ein verzauberter Königssohn war. Wenn sie ihn erlösen wolle, müsse sie sieben Nächte wachen und dabei sieben Aufgaben und Rätsel lösen. Wenn ihr das gelänge, würde der Drache seine menschliche Gestalt zurückbekommen, wenn nicht, so müsse er sie leider fressen. Eines der Rätsel ging so:

Wenn es frisst, so lebt es.
Wenn es trinkt, so stirbt es."

Die Kinder dachten darüber nach. Dass es lebt, wenn es frisst, war nicht so verwunderlich. Aber welches Tier stirbt, wenn es trinkt? Ein Hirsch vielleicht? Oder ein Elch? Oder ein ganz fremdes Tier? Oder vielleicht gar der Drache selbst? „Es muss ja nicht unbedingt ein Tier sein", sagte Jana.

Das war aber auch zu schwer. Gedankenverloren knickte Ismael einen Reisigzweig in kleine Stücke und schob eins nach dem anderen in die Herdöffnung.

Plötzlich sagte er: „Das Feuer! Wenn man es mit Reisig füttert, lebt es. Aber wenn man ihm Wasser gibt, dann stirbt es."

„So hat die Prinzessin mit Ismaels Hilfe das erste Rätsel gelöst", erklärte Jana und lächelte. Alle freuten sich und rückten enger zusammen. „Mach weiter!"

Und Jana erzählte: „Nachdem das erste Rätsel also gelöst war, schlief die Prinzessin bis in den hellen Morgen. Dann stand sie auf und wanderte durch das Reich der Fantasie. Sie überlegte: Ach, wenn es doch hier einen schönen See gäbe, auf dem Schwäne schwimmen und dessen Ufer mit Schilf bewachsen ist und gelben Schwertlilien.

Kaum hatte sie das gedacht, da breitete sich vor ihren Augen ein wunderschöner See aus. Die Sonne blitzte auf seiner Oberfläche. Eine Schar weißer Schwäne zog langsam über das Wasser, und direkt vor ihr im Schilf tanzten Libellen um die gelben Schwertlilien. Wie schön wäre es doch, dachte die Prinzessin weiter und blickte über den See, wie schön wäre es, wenn dort am anderen Ufer auf dem Hügel ein weißes Haus stünde und ein Blumengarten sich zum See hinunter erstreckte, mit roten Rosen, weißen Nelken und blauem Rittersporn ... Und während sie noch an all die Farben dachte, sah sie schon das weiße Haus mit einem Säuleneingang auf dem Hügel stehen. Ein gelber Sandweg schlängelte sich durch einen prächtigen Blumengarten zum See hinunter. Doch damit nicht genug, die Prinzessin stellte sich noch ein Drittes vor: Nämlich einen Wald, in dem Rehe, Hasen und viele Vögel wohnten. Und die Tiere kämen ans Wasser, um zu trinken … Was immer ihrer Fantasie entsprang, wurde sogleich Wirklichkeit."

Die Kinder hörten wie gebannt zu. Ihre Augen weiteten sich und schienen ebenfalls alles zu sehen, was die Prinzessin sah, ja, mehr noch, sie fingen selbst an zu fantasieren und die dunkle Hütte mit bunten Bildern zu füllen. Sie merkten gar nicht, dass Jana aufgehört hatte zu erzählen.

Plötzlich wurden sie zurückgerissen in die Wirklichkeit. Das Geräusch von schnellen Schritten im Schnee ertönte und ein Keuchen. Hastig wurde die Tür aufgerissen und alle merkten sofort, dass etwas nicht stimmte. Ambromow kam allein herein und rief sofort: „Ismael, Ludka, zieht euch an und holt zwei Decken. Wir müssen Gylal transportieren."

„Was ist denn?"

„Ein Tier, ein großes, hat Gylal den Oberschenkel aufgerissen. Ich konnte ihn nicht allein bis hierher tragen. Jetzt macht schon! Bald wird es dunkel!"

Er rannte zur Leiter und holte zwei Decken vom Heuboden. Rasch zogen Ludka und Ismael sich ihre Knobelbecher und Jacken an, banden sich die Wolltücher um und folgten Ambromow, der schon wieder draußen war. Die Zurückgebliebenen saßen mit klopfenden Herzen und hörten, wie die Schritte der drei sich entfernten. Snaju verzog sein Mündchen zum Weinen und zeigte immer wieder zur Tür.

Gylal lag allein im unendlichen Schnee. Es war, als würden Zeit und Ewigkeit verschwimmen. Der Blutverlust hatte ihn schwindlig gemacht. Er fühlte sich sehr schwach. Die Verlockung war groß, sich einfach zu ergeben, hier im Schnee zu liegen und darauf zu warten, dass irgendwann der Schlaf käme und ihn von allen Schmerzen befreite. Es hatte ja doch alles keinen Sinn. Wer wusste, ob Ambromow überhaupt wiederkam. War der nicht viel besser dran ohne ihn? Wozu also noch kämpfen? Er dämmerte vor sich hin. Die Kälte drang durch seine Kleider. Aber dann dachte er an seine Mutter, und dass er ihr versprochen hatte, Aigyl, seinen Bruder, nach Hause zu bringen. Da fühlte er plötzlich eine große Wut in sich aufsteigen.

Was dachte sich dieses Raubtier, dieser Luchs, überhaupt? Ihm, Gylal, die Beute rauben zu wollen und ihn niederzuschlagen?! „Nein, du Hund, du pinselohrige Katze", rief er laut, „das Vergnügen werde ich dir nicht gönnen. Mich wirst du nicht besiegen! Du bist zwar stärker als ich, aber viel dümmer! Du kannst keine Hasenfalle erfinden, aber anderen die Beute klauen, das kannst du, du feige Memme!"

Gylal hatte sich in Rage geredet. Er setzte sich auf, und mit großer Anstrengung versuchte er, rückwärts zu rutschen, wenn es vorwärts schon nicht ging, indem er sich mit den Händen und dem gesunden rechten Bein abstieß. Es schmerzte, aber es funktionierte. Gylal gab sich nicht geschlagen. Er legte sich nicht in den Schnee, um zu sterben. Da konnte drauf warten, wer wollte. Ab und zu musste er eine Pause einlegen. Das Bein, das Ambromow mit dem

Halstuch abgebunden hatte, um den Blutfluss zu stoppen, dieses Bein wurde allmählich immer steifer. Dennoch gab er nicht auf. Und endlich, endlich kamen seine Helfer.

Die drei wickelten Gylal in eine der Decken und legten ihn auf die andere, die sie als „Schlitten" benutzen wollten. Gylal fühlte Tränen der Erleichterung über seine Wangen laufen, aber er wischte sie schnell weg. Es wurde fast nichts geredet. Alles ging sehr schnell. Unverhofft drehte Ambromow sich dann zu Ludka um. „Hol den Hasen!"

Ludka meinte, nicht richtig gehört zu haben, und rührte sich nicht.

„Du brauchst nur der Spur von Gylal zu folgen, dann findest du die Falle. Das Biest kommt bestimmt nicht wieder, und wir brauchen dringend das Fleisch."

Ludka rührte sich noch immer nicht. Ismael wollte etwas einwenden. Da blickte Ambromow Ludka mit funkelnden Augen an, wie ein Wolf, der in die Enge getrieben wird und schrie: „Hol den Hasen!"

Mit zitternden Knien machte Ludka sich auf den Weg, immer der Spur folgend, die von Blut gezeichnet war. So hatte sie Ambromow noch nie erlebt, so verzweifelt und wild entschlossen. Und langsam wurde ihr die Notwendigkeit ihres Auftrags bewusst. Aber das machte es nur wenig besser. Ihre Angst stieg, je näher sie dem Ziel zu kommen schien. Würde das böse Tier wirklich nicht mehr da sein? Bisweilen lief sie, so schnell sie konnte, dann wieder zögerte sie. Gab es denn keinen Ausweg? Sie dachte an den Drachen in der Geschichte. Würde er sie jetzt holen, um mit ihr in das Reich der Fantasie zu fliegen? Und je mehr sie daran dachte, umso ruhiger wurde sie, bis sie schließlich einen ganz normalen Laufrhythmus gefunden hatte. Und da war der Hase auch schon. Sein Kopf war abgebissen. Der Platz drum herum war zertrampelt und blutbefleckt. Ludka gruselte sich, griff aber tapfer nach einem der Hinterläufe und zog den Hasen hinter sich her. Kein wildes Tier war zu sehen oder zu hören. Durch die vielen Fußspuren war der Rückweg jetzt viel leichter gangbar. Er schien viel kürzer zu sein. Nur wenig später als die andern mit dem „Schleppschlitten" erreichte sie die Hütte. Es war bereits ganz dunkel.

Ein großes Glücksgefühl überkam alle, als sie wieder in der Hütte vereint waren. Jeder merkte, wie sehr er die anderen brauchte, aber auch, wie sehr er selbst gebraucht wurde. Sie hatten Gylal ein Heulager gerichtet und ihm vorsichtig die Hose vom verletzten Bein gezogen. Es sah grässlich aus. Lange blutige Kratzer und eine tiefe Fleischwunde. Ludka erinnerte sich daran, dass sie so etwas schon einmal gesehen hatte, zu Hause, auf ihrem Bauernhof. Ein Mann war mit seinem Arm in die Erntemaschine gekommen. Sie überlegte, wie dem Mann damals geholfen wurde, und ihr fiel die alte „Renkersfrau" ein. Alle nannten sie so, weil sie den Leuten die Schultern und Knie wieder einrenkte. Außerdem hatte sie viele Kräutertränke und Salben und wusste für jedes Leiden ein Mittel. Auch Branntwein musste immer zur Hand sein.

„Hast du noch von dem Schnaps?“, fragte Ludka. Ismael kramte die Flasche hervor, die er schon ganz vergessen hatte.

„Jetzt musst du stark sein“, sagte Ludka zu Gylal und begoss den verletzten Oberschenkel mit dem Alkohol. Es brannte wie der Teufel, reinigte aber die Wunde. Gylal schrie nicht, doch er wurde kreidebleich und fiel vor Schmerz in Ohnmacht. Die umstehenden Kinder hielten den Atem an. Ludka blieb, wie immer in solchen Momenten, ruhig. Sie bat die Zwillinge, aus ihrer Kräutersammlung den Spitzwegerich auszusortieren und, wenn nicht genug davon da war, auch den Breitwegerich. Sie zerkaute die Blätter und machte so eine Paste, die sie auf die Wunden strich. Sie bedeckte die Wunde mit einem der Leinensäckchen, die sie von der Kapitänsfrau bekommen hatten. Dann löste sie das Halstuch, das noch immer Gylals Bein abband, rollte ein zweites Säckchen zusammen und benutzte es als Druckverband. Das alles machte sie so ruhig und geschickt, als sei sie ihr Leben lang eine „Renkersfrau“ gewesen.

Gylal war langsam wieder zu sich gekommen. Doch Ludka gab ihm nun einen kräftigen Schluck aus der Wodkaflasche zu trinken, und so döste er wieder ein.

Alle seufzten erleichtert auf. Ismael holte Schnee, damit Ludka sich waschen konnte. Ambromow klopfte ihr bewundernd auf die Schulter. Und in Ermangelung eigener passender Worte sagte er, was Gylal zu seinem Bruder gesagt hatte: „Du bist gut!“ Jetzt, als die Aufregung vorbei war, sah er wieder wie ein sehr lieber Wolf aus. Ludka lächelte und war stolz.

Snaju kam und legte vorsichtig seine kleine Hand auf Gylals Bein. Da ließ er sie eine Weile liegen, so als wolle er sich vergewissern, dass das Bein auch wirklich noch dran war. Dann setzte er sich neben Gylal und blieb dort, bis Schlafenszeit war.

Snaju wollte seinen Bruder nicht verlassen und unten schlafen; so blieb auch Aina diesmal hier und Daina machte aus Heu ein Lager neben dem Herd. Auch Ismael und Jana blieben schließlich unten, denn wer sollte sich um Gylal kümmern, falls er Schmerzen hatte und etwas brauchte?

So stiegen nur Ambromow und Ludka auf den Heuboden, und wie zufällig rutschten sie eng zusammen. Jeder wärmte den andern und wurde von ihm gewärmt. Es hatte etwas sehr Tröstliches. Draußen fiel sanft der Schnee und hüllte die kleine Welt der verlorenen Kinder in seinen weißen Mantel der Unschuld und Barmherzigkeit.

In der Morgendämmerung wachte Aina auf. Alle anderen lagen noch im Schlaf, auch Gylal regte sich nicht, er atmete ruhig. Sie erhob sich von ihrem Lager, klaubte leise die Asche aus dem Herd, trug sie nach draußen – die Tür war nur wenig eingeschneit in dieser Nacht – und füllte den Kessel mit Schnee. Wieder in der Hütte, ging sie zum Herd, griff nach ein paar Kräutern für den Tee und streute sie auf den Schnee im Kessel. Auf ihrem weißen Grund sahen sie aus wie eine kunstvolle Stickerei …

Aina hielt den Kessel auf dem Schoß und betrachtete das Bild. Ihre Gedanken gingen zurück in eine Zeit, in der sie den fleißigen Händen ihrer Mutter zugesehen hatte, wie sie Muster aus Blüten und Blättern auf ein weißes Tuch stickten. Dann betrachtete sie ihre eigenen Hände, die schon fast so abgearbeitet waren wie die ihrer Mutter. Würde sie jemals so schöne Tücher sticken?

Da hörte sie ein leises Geräusch und sah eine kleine Hand sich in den Kessel schieben. Snaju. Er nahm ein wenig Schnee, rieb sich damit Hände und Gesicht ein und murmelte vor sich hin, in seiner Kindersprache. Da vergaß Aina ihren eigenen Schmerz und umarmte ihn.

Nach und nach wachten auch die andern auf. Ambromow machte Feuer, und Jana stellte den Kessel auf den Herd. Auch sie sah das schöne Muster auf dem Schnee und lächelte Aina zu. Langsam wurde es hell und warm. Ludka legte einen neuen Stein von links nach rechts in ihrem Kalender. „Pass bloß auf, Ambromow", sagte sie lachend, „bald ist Samstag." Dann tranken sie alle ihren Tee, der den Magen ruhig halten sollte, und waren froh, dass auch Gylal mit ihnen trank.

Daina fragte: „Wie war das denn jetzt eigentlich mit dem wilden Tier?"

„Das war ein Luchs", sagte Gylal. „In der Ukraine gibt es die auch."

„Und wie sah der aus?"

„Er war riesig", antwortete jetzt Ambromow. „Über einen Meter lang, sein Kopf war genau wie bei einer Katze, nur größer. Er fauchte auch so. Ich kann euch sagen! Und seine Augen funkelten grün und böse."

„Das Komische ist nur, dass er einen ganz kleinen Stummelschwanz hat.“ Gylals Stimme klang verächtlich, als wolle er sich überlegen zeigen. „Und sein Fell ist auch nichts Besonderes, so graubraun und ein bisschen schwarz gefleckt.“

„Ja, und erst seine Ohren!“, stimmte Ambromow nun mit ein. „Einfach lächerlich, diese Pinsel, die er daran hat. Einfach lächerlich!“

Gylal nickte. „Offenbar denkt er, dies hier sei nur sein Revier. Da hat er sich aber getäuscht! Einfach anderer Leute Futter wegrauben. Das kann ja jeder! Aber nicht mit uns!“ Er schnaubte durch die Nase. „Ja“, sagte Ambromow, „Gylal hat sich sofort auf ihn gestürzt, als er uns den Hasen wegschnappen wollte. Ich hab noch gesagt: ‚Gylal, lass doch.‘“

„Ja, und fast hätte er mich auch drangekriegt. Aber mein neuer Jagdbruder“, Gylal macht eine angemessene Pause, „mein neuer Jagdbruder hat mich rausgehauen.“

„Wie denn?“, fragte Daina. „Er hatte ja nichts zum Hauen.“

Ambromow lachte. „Das nennt man nur so. Ich habe mit Schneebällen nach dem Luchs geworfen …“

„Aber das, was ihn wirklich verscheucht hat, war der wahnsinnige Schrei, den Ambromow losgelassen hat“, berichtet Gylal weiter. „Es hörte sich wie ein Bär an, der ausgebrochen ist. Der Luchs drehte seinen hässlichen Kopf nach ihm um und zog es dann vor, das Weite zu suchen. So schnell zeigt der sich nicht mehr!“

So sprachen die Helden.

„Ihr habt ganz schön Glück gehabt“, sagte Aina. „Und auch einen Schutzengel.“

Alle nickten zustimmend und fühlten noch einmal deutlich die Gefahr, die an Gylal vorübergegangen war.

„Ach du liebe Zeit!“, rief Ambromow aber. „Wieso ein Schutzengel? Ich will euch mal was sagen: Da draußen im einsamen Schnee und mit dem Luchs, da kam kein Engel und kein Allah und kein Jesus und kein Wasweißich, um uns zu helfen und Gylal zu retten. Da musste ich schon alles selbst machen. Denn wenn ich nur so dagestanden hätte und auf Hilfe gewartet, dann wäre Gylal jetzt vielleicht tot und ich auch. Nein, hört mir mit Schutzengeln auf.“

In die betretene Stille hinein sagte Daina: „Da wird sich Gottchen aber gar nicht freuen, wenn er das hört.“

Für sie war ihr Gottchen etwas sehr Nahes, das geliebt sein wollte, ebenso wie es selbst andere liebte und beschützte. Dieses Gottchen war so klein und jung wie sie selbst. Nur eben unverletzlich, weise, hilfsbereit und sehr real, wenn auch unsichtbar. Ambromow allerdings schien es leider nicht zu kennen.

Weitere Äußerungen zu diesem Thema gab es nicht. Jeder horchte in sich hinein.

In Ismaels Vorstellung gab es einen kleinen runden Tisch. So dachte er es sich. An dem Tisch saßen drei Weise, die verschiedenste Meinungen vertraten. Bisweilen unterhielten sie sich so angeregt, dass er fürchtete, man könne es laut hören. Meist kamen sie zu keiner Einigung. Und er wünschte sich auch nicht, dass sie sich einigten, denn er fürchtete, dass sie dann den kleinen runden Tisch verlassen würden. Dann wäre er mit seiner Ratlosigkeit, die ihn oft überfiel, wieder allein. Jetzt zum Beispiel sagte der Erste: „Was will man machen, Ambromow hat Recht. Es ist genau so, wie er gesagt hat. Alles muss man selbst machen. Ich habe es oft genug an mir erlebt."

Und der Zweite, mit einer Stimme, die der von Ismaels Vater glich, sagte: „Nu, dann frage ich dich: Wer gab dem Jungchen in einem solchen Augenblick den Mut eines Löwen, die Stimme eines Bären? Wer erfüllte sein Herz mit einer so gewaltigen Bruderliebe, dass er den Tod nicht fürchtete? Was trieb ihn, hinzuzuspringen, anstatt sich in Sicherheit zu bringen?"

Und der Dritte schließlich sagte: „Streitet euch nicht. Es ist doch egal. Hauptsache, es funktioniert."

Aber die beiden anderen wollten sich damit nicht zufrieden geben. Es musste doch eine endgültige und einheitliche Wahrheit geben. Gerade wollte der Erste wieder seine Stimme erheben, da wurde das Gespräch unterbrochen.

Jana, ausgerechnet die Märchenjana, fragte einfach: „Was ist jetzt mit dem toten Hasen in der Falle?"

„Sie fragt nach dem Hasen", sagte Ludka. Und Ambromow antwortete nicht ohne Stolz: „Den Hasen mit dem abgebissenen Kopf hat Ludka noch geholt."

„Ganz allein?" Die Verblüffung war groß. Bescheiden lächelnd nahm Ludka die Bewunderungsäußerungen entgegen.

„Es gibt zwei weitere Fallen", sagte Ambromow nun ernst. „Aber sie waren noch leer. Wir werden demnächst dorthin gehen müssen, um nachzusehen." Er wusste, jeder hoffte, dass diese Aufgabe nicht ihn treffen werde.

„Ich bin ja auch noch da!", rief Gylal und wollte aufstehen. Sofort rief Ludka, er müsse unbedingt sein Bein bis Samstag ganz, ganz still halten. Sonst könne es nicht heilen. „So aber schon", fügte sie hinzu, füllte ein Schüsselchen mit Eisschnee und sagte, er solle dies auf den Verband legen und die Wunde damit kühlen. Gylal schickte sich drein, zumal ihm seine plötzliche Bewegung heftige Schmerzen verursacht hatte.

„Na gut", sagte er. „Aber wenn jemand zu den Fallen geht, dann nur am hellen Mittag. Da kommt der Luchs nicht. Der Feigling jagt am liebsten im Dämmerlicht. Du hast gesagt bis Samstag, Ludka?"

„Ja", sagte Ludka stolz. „Wir haben ja jetzt einen Kalender."

Sie stand auf und ging nach draußen, um den Hasen für den Kochtopf vorzubereiten. Ambromow folgte ihr. Die beiden arbeiteten stumm nebeneinander und fühlten dabei ihre Gemeinsamkeit. Was war das? War es, weil sie beide die meiste Verantwortung für das Rudel trugen? Oder war es noch etwas anderes, ein besonderes Gefühl, das wie grünes Gras unter dem Schnee hervorlugte, schön und traurig zugleich? Sie wussten es nicht und wollten es eigentlich auch nicht so genau wissen. Aber ihre Blicke sprachen eine andere Sprache. Ismael, der kurz aus der Tür sah, bemerkte, wie die beiden sich ansahen, und fühlte eine gewisse Eifersucht.

Ambromow und Ludka zerteilten den Hasen in einige Portionen und vergruben sie tief im Schnee zur Aufbewahrung. Dann war es höchste Zeit, wieder ins Warme zu kommen.

Bald waren alle Steinchen des Kalenders bis auf eines von der linken auf die rechte Seite gewandert. Das bedeutete: Es war Samstag. Draußen strahlte die Sonne, und es war schneidend kalt. Nach dem Morgentee nahm Ludka Gylal den Verband ab. Alle sahen gespannt zu. Die langen Kratzer hatten sich ganz geschlossen und über der großen Wunde hatte sich dicker Schorf gebildet. Nichts war entzündet. Alle freuten sich. Am meisten natürlich Gylal selbst, der von nun an fast glaubte, Ludka könne zaubern. Er erhob sich und machte vorsichtig ein paar Schritte, auf Ismael gestützt. Wenn er den Muskel anspannte, tat die Wunde noch weh. Das war ja kein Wunder und würde noch eine Weile so bleiben. Fast größer war das Problem der zerrissenen Hose.

Ludka erinnerte sich daran, dass ihre Mutter einmal nach einem Sturz zu ihr gesagt hatte: „Dein Knie heilt von allein, dein Strumpf nicht."

Es gab kein Nähzeug. Was konnte man da machen? Alle überlegten. Das einzige Werkzeug war Ambromows Messer. Dann musste man eben mit dem Messer nähen. Jana holte ein weiteres Leinensäckchen und schnitt und riss erst einmal einen Flicken in der Größe des Loches zurecht. Dann riss sie dünne Streifen Stoff ab und rollte sie zu langen „Fäden". Anschließend nahm sie wieder das Messer, bohrte Löcher in den

Stoff und in die Hose und stach und zog die Stoff„fäden" hindurch. Es entstand eine sehr grobe „Naht". Aber der Flicken hielt. Weißes Leinen auf graugrünem Grund, wie ein Rest Schnee im Frühling. Wieder einmal war eine schwierige Situation mit Erfindergeist gemeistert.

Dass heute Waschtag war, hatte Ludka aber auch nicht vergessen. So mussten alle raus in den Schnee und sich abreiben. Nach anfänglichem Sträuben gefiel es ihnen und sie kreischten und lachten und rannten dann wieder ins Warme.

Die Vorräte an Holz und Reisig gingen zu Ende. Als eines Morgens die Sonne wieder besonders warm schien, beschlossen darum Ambromow, Ludka und Ismael, hinunter zu den niedrigen Kiefern zu gehen, um von dort Brennbares zu holen. Gylal wusste, sie würden es vielleicht nicht an einem Tag schaffen. Darum rollten sie ihre Decken zusammen und nahmen sie über die Schulter. Irgendwo, so hofften sie, würden sie einen Unterschlupf für die Nacht finden. Gylal lieh Ambromow seine Handschuhe. Die andern nahmen für ihre Hände die Socken von den Zwillingen mit.

Dann zogen sie los. Gylal hatte ihnen den Weg beschrieben. Sie sollten sich schräg am Berg halten, sonst würden sie sich verirren und den Rückweg womöglich nicht mehr finden. Der Abstieg war lustig. Auf längeren glatten Strecken benutzten sie ihre Decken als Schlitten und rutschten auf ihnen zu Tal. Gegen Mittag erreichten sie die niedrigen Kiefernbäume und begannen mit der Arbeit.

Im tiefen Schnee war das gar nicht so einfach. Manchmal kamen sie sich wie „Holzfischer“ vor, wenn sie mit einem Stock den Schnee nach Bruchholz durchsuchten. Aber sie fanden reichlich Reisig und auch dickere Äste. Schließlich hatte jeder ein so großes Bündel, dass er es kaum noch auf seiner Decke hinter sich herschleifen konnte. Ludka sammelte ihren Rucksack voll Kiefernzapfen, die brannten so schön und hell. Dann machten sie sich auf den Heimweg.

Gerade brach die Dämmerung herein. Sie legten noch eine kleine Strecke zurück und beschlossen dann, unter einem Felsvorsprung zu übernachten. Die Holzbündel stellten sie auf, dass sie einen gewissen Windschutz bildeten, wickelten sich fest in ihre Decken und aßen die alten, steinharten Brotstücke und das Trockenobst, das Jana ihnen mitgegeben hatte. Dann schliefen sie schnell ein. Hinter ihnen ragte schwarz und steil die Felswand in die Höhe.

Es schien mitten in der Nacht zu sein, als sie von seltsamen Geräuschen geweckt wurden, die damit endeten, das etwas krachend auf den Felsvorsprung fiel, unter dem sie lagen. Vor Schreck wie gelähmt, trauten sie sich auch nach einiger Zeit nicht nachzusehen, was das zu bedeuten hatte. Weil alles still blieb, schliefen sie endlich wieder ein.

Kaum weckte sie der helle, klare Tag, krochen sie aus ihrer Höhle und machten sich erst einmal warm, trampelten durch den Schnee und schlugen die Arme umeinander. Vor der Höhle lagen ein paar Eisbrocken. Sie schauten die Felswand hinauf.

„Irgendwas muss da runtergebrochen sein", sagte Ambromow. „Bloß gut, dass wir unter dem Vorsprung lagen."

„Guck doch mal oben auf unserm Felsen nach", sagte Ismael und Ambromow kletterte hinauf. Die anderen sahen ihm hinterher. Als er oben war, blieb er wie versteinert stehen.

„Was ist?"

Ambromow schüttelte den Kopf, bückte sich, sah irgendetwas genauer an und sagte dann: „Ihr werdet es nicht glauben, aber hier liegt eine tote Gämse."

Sofort kletterten Ludka und Ismael ebenfalls auf den Vorsprung, um das Tier zu betrachten. Es musste von ganz weit oben, vom Grat des Felsens heruntergefallen sein. Aber warum? Gämsen laufen doch nachts nicht umher. Und außerdem sind sie sehr gute Kletterer. Ambromow fiel der Luchs ein. Wahrscheinlich hatte er die Gämse so gejagt, dass sie in Panik in die Dunkelheit gesprungen war.

„Es ist fast, als wollte der Luchs wieder etwas gutmachen und uns von seiner Beute abgeben", sagte Ambromow und lachte. Eine Gämse, was für ein Fang! Nun ließen sie das tote Tier den Felsen herunterrutschen. Vor ihrer Höhle legten sie etwas von dem Reisig auf eine der Decken und darauf die Gämse. Ambromow sollte sie ziehen. All das Holz, das sie nun nicht fortbringen konnten, versteckten sie.

Anfangs ging es gut voran, Ambromow zog die Gämse hinter sich her und die beiden andern die Holz- und Reisigbündel. Je steiler aber der Weg wurde, umso schwerer war das Vorwärtskommen. Schließlich musste auch Ismael sein Bündel zurücklassen und zusammen mit Ambromow die

Gämse ziehen. Doch auch dann noch dauerte es bis tief in die mondhelle Nacht, ehe sie ihre Hütte erreichten.

Keiner hatte dort geschlafen. Alle hatten mit Bangen auf die drei Holzsammler gewartet. Als sie nun endlich erschienen, betrachteten sie aufgeregt den großen Fund. Es war unglaublich. Essen für lange Zeit.

Von links nach rechts und in der nächsten Woche von rechts nach links – so wanderten die Kalendersteinchen hin und her. Wenn die Sonne schien, ging es allen gut, doch wenn das Wetter trübe war oder wenn es gar stürmte und schneite, dann verfielen die Kinder in Betrübnis und ihre Verlassenheit kam ihnen zu Bewusstsein. „Du hast die Geschichte gar nicht weitererzählt, Jana“, sagte an so einem Tag Daina, „die Geschichte vom Mandarinenbaum und den drei Prinzessinnen.“

„Ja, wir haben die Prinzessin viel zu lange allein gelassen bei dem Drachen. Wer weiß, was da alles passieren kann“, stimmte Aina ihrer Schwester zu. „Hat sie denn nun weiter gewacht und geraten, oder hat sie der Drache schon längst gefressen?“

Gylal und Ambromow, die nicht dabei gewesen waren, als Jana die Geschichte erzählt hatte, musste nun erst erklärt werden, worum es ging. Dann erwiderte Jana den Zwillingen: „Nein, nein, wenn ich nicht weitererzähle, geht das Märchen auch nicht weiter. Es steht einfach still. Aber hört zu. Jetzt kommt die zweite Nacht und das zweite Rätsel:

Eine Dame wohlgesinnt,
Aus deren Auge heiß die Träne rinnt,
Die von einem Lufthauch stirbt,
Und nur im Dunkeln zu leben beginnt."

„Eine Dame wohlgesinnt, aus deren Auge heiß die Träne rinnt …" Ambromow überlegte laut. „Das ist unsere Gräfin", sagte er.

„Aber sie stirbt nicht von einem Lufthauch und lebt auch nicht nur im Dunkeln", entgegnete Ismael.

„Wie es ihr wohl gehen mag, unserer lieben Gräfin?", fragte sich Aina laut. „Ob sie wohl noch in ihrem Schloss wohnen darf? Oder hat sie der Bezirksvorsteher dort längst rausgeworfen?"

Alle dachten eine Weile still darüber nach. Dann würde sie vielleicht jetzt bei Koza in seiner Hütte sein …

„Jetzt müssen wir aber weiterraten. Sonst wird das nichts mit der Prinzessin und dem Drachen", meldete sich Daina wieder zu Wort.

„Wenn es voriges Mal kein Tier war, dann ist es auch jetzt keine richtige Dame, sondern nur so ein Bild für etwas anderes", gab Ludka zu bedenken.

„Wofür?"

„Na für die Lösung von dem Rätsel."

„Sag das Rätsel noch mal", bat Gylal. Jana wiederholte die Zeilen, und da rief er freudig: „Das ist eine Kerze."

„Wieso eine Kerze?" Jeder überlegte, wann er das letzte Mal – oder überhaupt schon mal – eine Kerze gesehen hatte.

„Na, aus einer Kerze tropft Wachs. Das sieht aus wie heiße Tränen. Man kann die Kerze mit einem Hauch ausblasen, und sie lebt nur im Dunkeln wirklich“, erklärte er.

„Und so hat mithilfe von Gylal die Prinzessin das zweite Rätsel gelöst“, bekräftigte Jana. „Wieder schlief die Prinzessin und ging dann im Reich der Fantasie spazieren.“

„Aß sie denn nie was?“, fragte Aina.

„Natürlich aß sie auch etwas“, antwortete Jana, als Ludka die Frage für sie wiederholt hatte. „Gerade jetzt dachte sie: Ach, wenn doch jetzt ein Tisch mit weißem Tischtuch vor mir stünde, und darauf wären die wunderbarsten Speisen, Birnen und Äpfel, Pudding und Weißbrot … Und sofort stand dieser Tisch vor ihr. Sie setze sich auf einen gemütlichen Stuhl und aß nach Herzenslust, bis sie satt war.“

„Ich hätte mir Speckkuchen gewünscht und Walderdbeeren mit Schlagsahne“, sagte Aina. Jedes Kind schwärmte nun davon, was es sich alles gewünscht hätte. Da kam viel zusammen.

„Wenn die Prinzessin wieder wachen und raten muss, dann sollte es etwas sein, das auch die Kleinen erraten können“, forderte Daina.

„Aber ja“, antwortete Jana. „Da wir gerade beim Essen sind: In dieser dritten Nacht gab ihr der Drache folgendes Rätsel auf:

> Der Größe nach einem Pfannkuchen gleich
> Zieht es von hier bis ins fernste Reich.“

Auch Daina hatte unterdessen begriffen, dass es nicht um einen wirklichen Pfannkuchen ging, sondern um etwas, das nur so aussah. Sie drehte den Zopf um ihren Finger und überlegte, was alles wie ein leuchtend gelber Pfannkuchen aussah, jedoch keiner war.

„Der Mond“, sagte sie plötzlich.

„Mond, Mond“, echote Snaju und wiegte sein Köpfchen hin und her. Alle wendeten sich ihm zu und fanden ihn süß. Nur über Dainas Gesicht huschte ein Schatten.

„Das war ich aber, die das jetzt gesagt hat, Snaju“, meinte sie und war erst wieder zufrieden, als Janas wichtiger Satz kam: „Und so hat die Prinzessin mit Dainas Hilfe das dritte Rätsel gelöst.“

Am nächsten Tag sollte Ismael das Holzbündel holen, das sie auf halbem Wege hatten liegen lassen, um die Gämse transportieren zu können. Daina wollte mitgehen.

„Es ist weit“, sagte Ismael abweisend. Doch dann durfte sie ihn trotzdem begleiten.

Sie hatten eine Decke dabei, und so rutschten sie einfach auf ihren Hintern die Hänge hinunter. Das machte Spaß, ging aber nur an manchen Stellen. Es war unterdessen wieder viel Schnee gefallen. Auf einmal hatte Ismael Angst, das Bündel nicht mehr zu finden. Sie suchten eine ganze Weile in der Gegend, die er sich gemerkt hatte. Aber sie fanden nichts. Ismaels Unruhe wuchs. Noch tiefer ins Tal konnte er mit Daina nicht gehen, sonst kämen sie nicht rechtzeitig vor Anbruch der Nacht zurück. Und zurückzukommen ohne Holz, war eine Schande. Die großen Jungen waren immer so mutig und erfolgreich. Nur er brachte nichts zuwege, so schien es ihm jetzt. Vor Aufregung bekam er einen ganz trockenen Mund, und der Schweiß brach ihm aus. Er versuchte, sich an irgendein Zeichen zu erinnern, das ihm weiterhelfen könnte. Aber es fiel ihm nichts ein, und der neuerliche Schneefall hatte alles verändert.

Daina suchte unterdessen unbekümmert weiter. Und auf einmal rief sie: „Guck mal, da drüben ragt ein Stock aus dem Schnee. Habt ihr damit nicht vielleicht das Bündel bezeichnet?"

Das hatte er in der Aufregung ganz vergessen. Es war ja auch Ambromow gewesen, der umsichtig wie immer das Holz auf diese Weise „sichtbar" gemacht hatte. Was wäre er ohne Ambromow! Aber egal. Jetzt arbeiteten sich beide im Tiefschnee zu der Stelle, die Daina ausgemacht hatte, und gruben das Reisigbündel aus. Als sie es hervorzogen, sprangen zwei kleine Bergmäuse heraus. Sie hatten es sich wohl darin gemütlich gemacht und an der Rinde genagt.

„Die sind so allein wie wir!", sagte Daina. Dann sah sie Ismael an und fügte hinzu: „Aber wir sind ja gar nicht allein."

Fast fröhlich packten sie nun beide das Bündel auf die mitgebrachte Decke, zogen es hinter sich her und machten sich auf den Rückweg. Dabei mussten sie eng nebeneinander gehen. „Wie ein Pferdegespann", sagte Daina und dachte an die Pferde, die einmal zu ihrem täglichen Leben gehört hatten, damals zu Hause. Jetzt war sie das Pferd. Das braune oder das schwarze? Sie seufzte.

Der Weg war beschwerlich und ab und zu mussten sie anhalten und eine Verschnaufpause einlegen. In einer solchen Pause sagte Daina: „Ich hör was. Hörst du nichts?"

Beide lauschten, aber Ismael schüttelte den Kopf. Nein, er hörte nichts.

„Da ist es wieder", sagte Daina drängend.

Aber Ismael hörte noch immer nichts.

„Vielleicht habe ich mich auch getäuscht." Daina war traurig und fasste wieder nach der Decke. Ismael fragte nicht weiter.

Als sie endlich die Hütte erreichten, war es bereits dunkel. Die andern hatten sich Sorgen gemacht. Daina und Ismael waren froh über die heiße Hasensuppe, die sie jetzt bekamen, denn sie hatten ja den ganzen Tag nichts gegessen.

„Wir haben Pferdegespann gespielt, Aina", erzählte Daina. Und Aina sagte: „Ja, ja, Petrs und Paulis, das waren unsere Pferde." Auch ihre Gedanken gingen zurück in eine frühe Zeit, als alles in der Welt noch an seinem rechten Platz war. Lange unterhielten sich die zwei in ihrer „Ziegensprache".

An diesem Abend weinten Aina und Daina leise, als sie ihr Nachtgebet sprachen. Snaju, der wie immer zwischen ihnen lag, lauschte verwundert auf ihr Schluchzen und streichelte sie.

Kaum waren sie am Morgen darauf vor die Hütte getreten – wieder schien die Sonne warm –, beobachtete Aina, dass Daina immer wieder lauschend den Kopf hin und her drehte. Schließlich fragte sie leise: „Hörst du etwas Besonderes?" Und Daina antwortete ebenso leise: „Ich höre Putje rufen. Sie will zu uns, und jetzt hat sie sich verlaufen." Aina machte sich Sorgen um ihre Schwester. War sie krank geworden? Hörte sie Dinge, die es nicht gab? Vorsichtig sagte sie: „Das ist nicht gut möglich, dass du Putje hörst, vom Meer bis hierher."

Aber Daina ließ sich nicht davon abbringen.

Dann waren alle in ein Versteckspiel vertieft. Erst, als sie wieder in die Hütte kamen, merkten sie, dass Daina fehlte.

„Sie wird doch nicht gegangen sein, um Putje zu suchen?", fragte Aina ängstlich. Sie musste den anderen erst erklären, wovon sie sprach. „Das Heimweh hat sie überwältigt, sodass sie jetzt schon Stimmen hört", sagte Ludka. Ismael fiel auf einmal ein, dass Daina ihn gestern schon auf ihrem Weg gefragt hatte, ob er etwas höre. Vielleicht war sie an dieselbe Stelle gegangen?

„Ich glaube, ich weiß, wo ich sie finden kann", sagte er.

Er zog seine Stiefel und Jacke wieder an und machte sich auf den Weg. Aina begleitete ihn. Sie hätte sonst keine Ruhe gefunden.

Er nahm den gleichen Weg wie am Vortag. Es hatte nicht wieder geschneit, so waren ihre Spuren noch auszumachen. Wie immer ging es bergab schnell, aber Daina war nirgends zu sehen.

„Wie weit kann sie sein?"

Als sie an der Stelle angekommen waren, wo das Reisigbündel gelegen hatte, folgten sie den frischen Fußspuren, die nunmehr ein Stück auf die Felswand zuführten. Ainas Angst stieg, das Laufen wurde beschwerlich. Sie beide konnten nur noch hintereinander gehen. Und dann, sie waren gerade um einen Felsvorsprung gebogen, hörten sie Dainas Stimme. Sie klang aber gar nicht ängstlich oder verzweifelt. Nein, vielmehr redete sie tröstend und beruhigend auf jemanden ein.

In Sicherheit fühlte sich das kleine Wolfsrudel nur, wenn alle beieinander waren. Es war stockdunkel, die Sterne standen am Himmel und glitzerten kalt und es war klirrender Frost. Immer wieder horchten die Kinder nach draußen, ob sich Schritte näherten, sahen sich dabei hoffnungsvoll an, doch stets schüttelten sie dann den Kopf. Das Warten wurde unerträglich. Und doch konnte niemand etwas anderes tun, als dazusitzen und zu warten. Endlich beschlossen Ambromow und Gylal, den beiden dort draußen nachzugehen, sie zu suchen und zurückzubringen, zurück zum Rudel.

Sie waren gerade dabei, sich anzuziehen, als die Tür aufging und drei Personen auf acht Beinen die Hütte betraten.

Es war ein umwerfender Auftritt, gewiss der überraschendste, der bis dahin in der Berghütte stattgefunden hatte. Es war ja schon aufregend gewesen vor ein paar Wochen, als Gylal plötzlich im Türrahmen stand, oder als sie ihn schwer verletzt hereingeschleppt hatten. Aber dies hier übertraf alles.

Die Überraschung ging allmählich in Gelächter über, als der neue Gast ein fröhliches „Guten Abend!“ meckerte, sich sofort in die Ecke begab, wo noch das Heu von Gylals Lager war, und genüsslich zu fressen begann.

„Eine Ziege!"

„Das ist nicht irgendeine Ziege, Gylal, das ist Putje", sagte Daina mit verklärtem Gesichtsausdruck. Sie rieb die Ziege mit Heubüscheln gründlich trocken. Aina half ihr.

„Aber", begann Ambromow zögernd, „diese Ziege hier hat ein schwarzes Bein. Das hatte Putje nicht."

„Ambromow!", sagte Daina, während sie liebevoll weiterputzte. „Wir sind zweimal mit dem Schiff gefahren, einmal mit dem Zug und mussten dann noch weit gehen bis hierher. Hm? Lauf du mal die ganze Strecke zu Fuß. Dann bekommst du auch ein schwarzes Bein!"

„Ich bin ja schon froh, dass die Ziege kein Engel ist", murmelte Ambromow lachend und beließ es dabei. Allerdings sollte die Ziege sich tatsächlich als ein Rettungsengel erweisen.

Von nun an führten Aina und Daina die Ziege jeden Tag hinaus und rieben sie mit Schnee ab, damit sie schön sauber war und nicht so stark roch. Emsig schnupperte sie herum und fand einen Steintrog. Die Zwillinge machten ihn frei von Schnee, und die Ziege leckte eifrig am Stein. Vielleicht war Salz daran? Ansonsten fraß die Ziege Heu oder lag wiederkäuend in ihrer Ecke. Mehrmals am Tag wurde sie von den warmen Händen der Mädchen gemolken, obwohl noch keine Milch kam. Das ging so drei Tage, aber am vierten war es so weit. Die ersten Tropfen spritzten in die darunter gehaltene Blechschüssel. Die Mädchen strahlten. Tag für Tag wurde es mehr, und bald konnte jeder von ihnen ein paar Schluck trinken, schließlich sogar ein halbes Schüsselchen.

Dagegen war die Vorratstruhe inzwischen nun bedenklich leer. Es gab noch etwas Grieß, aus dem Jana mit Schmalz eine gebrannte Grießsuppe machte. Das war jetzt ihr neuestes Rezept. Es gab auch noch ein paar Pilze und Nüsse. Aber was sie essen sollten, wenn auch das zu Ende ging, das wusste sie nicht. Gylal hatte lange nichts gefangen und nur von der wenigen Ziegenmilch konnten sie sich nicht ernähren. Das Gämsenfleisch war aufgebraucht.

„Nach grüner Farb' mein Herz verlangt", sang Jana vor sich hin, während sie draußen den Zwillingen zusah, wie sie ihre Ziege spazieren führten. Noch immer war der Schnee knietief, doch es schien nicht mehr ganz so kalt zu sein. Und auf einmal hörte sie ein Gluckern. Aber sie sah nichts Ungewöhnliches.

„Ludka", rief sie. „Ludka, komm doch mal raus."

Ludka trat aus der Tür. Gerade, als sie sich ein wenig vom Haus entfernt hatte, rutschte mit Krach der Schnee vom Dach.

„Es taut! Es taut!", schrien beide Mädchen.

Die Ziege machte vor Schreck einen Sprung.

Alle, die noch im Haus waren, wollten hinausstürmen. Doch der Schneerutsch vom Dach hatte die Tür versperrt. Die vier Mädchen draußen gruben sie frei, so schnell sie konnten. Dann tanzten alle vor Freude herum und lauschten atemlos auf das Gluckern und Rieseln, das nun viel deutlicher zu hören war. Es zeigte den Beginn der Schneeschmelze an, wenn die Erde sich ihres kalten Wintermantels entledigen will. Zwar würde es in der Nacht wieder frieren, aber die Macht des Winters war gebrochen, und das Leben würde zurückkehren.

„Morgen machen wir uns auf ins Tal!"

Sie gingen in die Hütte, knackten die letzten Nüsse und taten das letzte bisschen Sirup in heißes Wasser. Alle waren sie aufgeregt, doch auf einmal kam dann die große Frage: „Gylal, werdet ihr mit uns gehen, in den Süden? Oder allein zurück in die Ukraine?"

Gylal war darauf nicht vorbereitet. Eigentlich wollte er zurück in seine Heimat. Aber der Gedanke, jetzt wieder mit seinem kleinen Bruder allein zu sein, schien ihm unerträglich. So schob er die Antwort vor sich her.

„Jedenfalls gehen wir erst einmal mit euch ins Tal", sagte er schließlich.

Früh am Morgen kochte Jana die allerletzte Suppe. So konnte jeder noch einmal satt werden. Dann packten sie ihre Sachen. Weil die Rucksäcke jetzt leer waren, wurden sie mit Heu für Putje vollgestopft. An Ludkas Rucksack hing außen zusätzlich der Kessel, mit dem sie gekocht hatten. Sie kehrten den Fußboden und achteten darauf, dass das Feuer wirklich gelöscht war. Sorgfältig schlossen sie die Tür. Vielleicht kämen ja andere, um hier Unterschlupf zu finden, so wie sie. Ambromow strich noch einmal an der Steinmauer entlang, wie er es am ersten Morgen getan hatte, als er die Hütte entdeckte. Es war, als wolle er sich bei ihr bedanken.

Dann zogen sie los. Zum wievielten Mal? Snaju durfte ab und zu auf Putje reiten. Sonst trugen ihn Gylal und Ambromow abwechselnd auf dem Rücken, während Ismael dann einen Heurucksack mehr schleppte. Alle fühlten es wie eine große Befreiung, sich wieder bewegen zu dürfen und eine sich verändernde Umgebung zu sehen. Zu lange hatten sie in der engen, dämmrigen Hütte sitzen müssen.

Eine Weile gingen sie auf dem Grat entlang, denn sie fanden keinen Abstieg nach Süden. Im nassen Schnee lief es sich schwer, doch wenigstens blieb das Wetter freundlich. Nachts breiteten sie das noch vorhandene Heu als Lager aus und ertrugen tapfer die Kälte. Schließlich stießen sie auf einen Pfad bergab in südlicher Richtung. Allerdings war er sehr beschwerlich. Ambromow hatte wieder Angst, dass einer von ihnen abstürzen könnte, und holte das Seil hervor, mit dessen Hilfe sie eine lange „Seilschaft" bildeten. Ismael, wieder als Letzter, musste die Ziege führen.

Der Abstieg ging nicht schnell vonstatten.

Es dauerte drei Tage, bis sie die Baumgrenze erreichten, und weitere drei, bis der steile Pfad zu einem gemächlicheren Weg wurde. In all dieser Zeit hatten sie nichts zu essen. Sie nagten auf Stöckchen herum oder versuchten, in den herumliegenden Zapfen noch Samen zu finden. Aber jeden Morgen und jeden Abend gab Putje jedem ein wenig Milch – ihr Rettungsengel eben …

„Falls es möglich ist, dass Rettungsengel fast jeden Tag einen Heusack leer fressen", sagte Ambromow.

Es sollte spöttisch klingen und die anderen etwas aufheitern, doch niemand lachte. Alle schleppten sich auf dem Weg bergab nur noch so dahin, der Hunger nagte in ihren Bäuchen, und die Knie zitterten ihnen vor Schwäche.

Plötzlich blieb Ludka stehen und starrte eine große, dicke Fichte an. Vor ihren Augen verschwamm, was sie sah. Unten herum ließen die Fichtenzweige den Stamm ein Stück frei. Das sah aus wie ein runder Bauch, bekleidet mit einer braunen Schürze. Rechts und links davon streckten zwei grüne Zweige sich ihr wie liebende Arme entgegen. Mit einem Jammerlaut, der von tief innen kam, stürzte sich Ludka in diese „Arme" und schmiegte sich an den braunen „Bauch" des Baumes. Sie, die immer so tapfer und fröhlich gewesen war, fühlte nach diesen Tagen des Abstiegs nur noch Verzweiflung und einen Schmerz, der sie überwältigte. Es war, als sei nicht nur der Essensvorrat in ihrem Rucksack, sondern auch der Seelenvorrat aufgebraucht worden. Zu weit weg schienen auf einmal für ihre kleinen Füße der Süden und der „Himmel auf Erden". Sie fühlte sich unendlich verlassen und weinte und weinte. „Matka", flüsterte sie unter Schluchzen. Keiner sagte etwas, aber jeder verstand. Jana nahm sie in die Arme.

Putje war unterdessen weitergelaufen. Sie lief und lief, als wüsste sie genau wohin. Und sie folgten ihr, wie die Zicklein der Ziege.

Im Tal

„Teresa, schau mal da", sagte Lubomir, der Schafhirte, zu seiner Frau. Teresa trocknete sich die Hände an der Schürze ab und trat zu ihm vor die Tür.

Eine Prozession kam auf sie zu. Voran ging eine Ziege, auf der ein kleiner Junge saß. Ihr folgten zwei Mädchen, einander zum Verwechseln ähnlich. Danach kamen drei etwas größere Jungen und schließlich, als Nachzügler, zwei Mädchen, die allererste Frühlingsblättchen in den Händen hielten. Die Ziege lief zielstrebig auf das Haus zu und hielt vor der Tür an. Auch die Kinder blieben stehen, keines sagte ein Wort.

„Ist Jesus nicht auf einem Esel in Jerusalem eingeritten?", kam es Teresa, der Frau des Hirten, in den Sinn. Bald war Palmsonntag. Hier ritt das Jesuskind auf einer Ziege. Ein Zeichen? Für einen Augenblick hatte sie das Gefühl, etwas Außergewöhnliches wehe sie an, etwas Besonderes berühre sie. Der kleine Junge wollte heruntergenommen werden. Teresa glaubte, sie sei damit gemeint, ging hin und nahm ihn in die Arme. Dabei sah sie die Ziege näher an und sagte: „Na, Blümchen? Wo hast du denn so lange gesteckt?"

Die Kinder standen immer noch schweigend da, blasse Gesichter mit großen, ernsten Augen. Und so, als sei das nun das Äußerste, was sie noch hatten leisten können, setzten sie sich einfach hin, da, wo sie gerade standen. Die Ziege fing an, das erste Frühlingsgras zu zupfen.

Die Frau des Hirten hatte immer noch den kleinen Jungen auf dem Arm, als ihr Mann sagte: „Wahrscheinlich haben sie Hunger."

Die Kinder verstanden ihn nicht. Ohne es zu merken, hatten sie wieder eine Grenze überquert. Jetzt waren sie in der Slowakei. Mit einer Armbewegung bedeutete der Mann ihnen, ihm zu folgen. So gingen alle ins Haus. „Du nicht", sagte der Hirte, lächelte und brachte die Ziege in den Stall.

Dicht gedrängt saßen alle um den Küchentisch. Sie rochen ziemlich stark nach Wald und Ziege. Der Hirte brachte ein großes Brot, ein großes Stück Speck und einen großen Käse. Er schnitt große Stücke ab, und sie aßen gierig mit großem Hunger. – Doch das hätten sie nicht tun sollen. Ihre ausgehungerten Mägen wehrten sich. Eins nach dem andern rannte nach draußen und erbrach sich.

„So eine Verschwendung!", schimpfte Teresa. „Alles für die Katz. Das gute Essen!"

Die Kinder schämten sich. Nur Snaju blieb von allem unberührt. Er hatte nur das weiche Innere des Brotes in kleinen Stücken gegessen. Da verstand Teresa, dass die Kinder, die da von den Bergen kamen, lange gehungert haben mussten und darum nichts vertrugen. Sie kochte Kamillentee.

„Woher seid ihr denn gekommen?", fragte sie.

Es kam keine Antwort. Sie versuchte es noch einmal auf Russisch. Da antwortete Ludka: „Von der Berghütte."

„Wart ihr da den ganzen Winter?"

„Ja."
„Ganz allein?"
„Ja."
„Und wo wart ihr vorher?"
Ludka zögerte. Was sollte sie sagen? „Wir kommen von weit her."
„Hierbleiben könnt ihr nicht", sagte jetzt Lubomir, der Schafhirte, und stand auf. „Aber heute könnt ihr in der Scheune übernachten."

Sehr früh am Morgen ging Teresa wie gewöhnlich in den Stall, um die Ziegen zu melken. Da erschienen die kleinen Zwillinge und bedeuteten ihr, dass sie helfen wollten. Sie nahmen einen Eimer und fingen bei Putje an. Teresa war sehr erstaunt, dass die Mädchen mit ihren kleinen Händen so gut melken konnten, und dass diese Ziege so viel Milch gab, obwohl sie doch den Winter in den Bergen verbracht hatte. Sie redete freundlich mit den Mädchen, die als Antwort lächelten und die nun auch andere Ziegen molken, sodass die Arbeit schon in der halben Zeit getan war, die sie sonst gebraucht hätte.

Die Mädchen folgten Teresa in die Küche und setzten sich dort brav auf die Bank. Sie sahen zu, wie sie Haferbrei kochte, und gingen dann, um ihre Schüsselchen zu holen, denn sicher gab es nicht genug Teller. Teresa verteilte den Haferbrei und goss in jedes Gefäß etwas von der frisch gemolkenen Ziegenmilch. Dann gab sie den Mädchen zu verstehen, die anderen zu holen. Sie alle hatten sich am Brunnen Gesicht und Hände gewaschen und sahen nun – auch nach der ruhig verbrachten Nacht – nicht mehr so verwildert aus wie gestern.

Der Hirte kam von den Schafen, und während sie aßen, erzählte ihm Teresa, wie die kleinen Mädchen ihr so gut beim Melken geholfen hatten. Sie lächelte ihnen anerkennend zu, und der Mann nickte.

„Können die andern denn auch irgendetwas Nützliches?" Er fragte es in holprigem Russisch.

„Wir können viel", sagte Ambromow.

Der Hirte dachte nach. Aber dann sah er die vielen Schüsselchen auf dem Tisch an, schüttelte den Kopf, stand auf und ging. Es waren zu viele. Und außerdem, wo der Schnee endlich weg war, musste das Dach des Schafstalls repariert werden. Auch sonst wartete viel Arbeit auf ihn, mit der sie ihr karges Leben fristeten. Er konnte sich nicht auch noch um diesen „Wanderzirkus" kümmern.

Die Kinder aßen sehr langsam und vorsichtig. Sie wollten nicht noch einmal solch ein Missgeschick wie gestern Abend verursachen. Außerdem brauchten sie Zeit, um sich an all die neuen Eindrücke zu gewöhnen. Und sie überlegten, wie es jetzt wohl weitergehen würde. Teresa überlegte auch.

„Weiter unten im Tal habe ich eine Freundin, die hat einen kleinen Bauernhof. Da könntet ihr als Nächstes hin", sagte sie. Die Kinder sahen sich an. Niemand traute sich, etwas zu sagen.

„Und was ist mit Putje?", fragte Daina leise. Teresa sah

sie an. „Was soll mit ihr sein?“, fragte sie zurück. Ludka musste es wohl oder übel erklären.

„... und da dachte Daina, es sei ihre Ziege von zu Hause“, schloss sie ihre Erzählung.

„Aber die Ziege ist doch unser Blümchen“, sagte Teresa nach einem Augenblick des Schweigens. „Und sie hat von selbst hierher gefunden.“

„Komisch, dass sie den gleichen Namen hat. Putje heißt nämlich Blümchen auf Lettisch“, erklärte Ludka.

Teresa tat das ja leid, aber: „Was soll man da machen?“

In diesem Augenblick drang ein Schrei zu ihnen herein. Alle sprangen auf und liefen vor die Tür. Der Hirte war von der Leiter gefallen! Starr vor Schreck standen die Kinder und blickten auf den stöhnenden Mann am Boden.

„Steht hier nicht so rum. Hängt die Tür aus, damit wir ihn reintragen können“, schrie Teresa, weinte laut auf und kniete sich neben ihren Mann.

„Tut es sehr weh?“

Der Hirte konnte sich nicht mehr bewegen. Sie mussten ihn vorsichtig auf die Tür ziehen. Dann trugen sie ihn ins Haus und legten ihn auf die gleiche vorsichtige Weise in sein Bett. „Es tut höllisch weh“, flüsterte er.

„Wir müssen den Heiler holen.“ Teresa beschrieb den Weg zu einer anderen Schäferei. Dort wohnte Jago, der Heiler. Ambromow und Ismael machten sich wieder einmal auf den Weg. Ihnen fiel die Fahrt mit Koza ein, zu dem Doktor, der nur wegen der Amethystbrosche mitgekommen war. Würde dieser Jago ohne Brosche mitkommen?

Er kam, und als sie das kleine Schäferhaus wieder erreichten, hörten sie gleich, wie der Hirte vor Schmerzen stöhnte. Er lag schweißgebadet in seinem Bett. Teresa war sehr aufgeregt, die Kinder verstört. Doch sie hatten versucht, ihr in der Zwischenzeit beizustehen, hatten ihr geholfen. Jana und Ludka hatten die Küche aufgeräumt und abgewaschen. Aina und Daina hatten versucht, den Ziegenstall auszumisten. Gylal war zum Schafstall gegangen und hinauf aufs Dach gestiegen, er hatte die Dachpappe zurechtgelegt und sie angenagelt. Dann war er vorsichtig heruntergekommen und hatte das Werkzeug ordentlich wieder weggeräumt. Vielleicht, wenn sie sich so nützlich machten, könnten sie bleiben? Snaju saß derweil vorm Haus neben dem kleinen Hirtenhund. Sie verstanden sich offenbar gut, denn sie brauchten die komische Menschensprache nicht.

„Was Dümmeres ist dir wohl nicht eingefallen, Lubomir. Mein Gott! Hättest du nicht besser aufpassen können! Du hast dir das Becken gebrochen. Das kann dauern. Mindestens acht Wochen.“ Jago drehte nach der Untersuchung den Hirten vorsichtig wieder auf den Rücken und winkelte behutsam die Knie an. „Bring doch mal ein paar Kissen, Teresa“, sagte er. „Dein Mann wird eine ganze Weile so liegen müssen. Mit Frühjahrsarbeiten ist da nichts.“ Teresa schluchzte. An ihrer Stelle ging Ismael und brachte ein paar Kissen. Jago wischte mit einem nassen Tuch den

Schweiß von der Stirn seines Freundes und gab ihm einen Kräuterschnaps zu trinken.

Teresa stand dabei und war verzweifelt. Was sollte jetzt nur werden?

„Habt ihr denn niemanden, der euch beistehen kann?"

Teresa schüttelte den Kopf. „Ja, wenn unser Karel aus dem Krieg heimgekommen wäre", seufzte sie, „dann wäre alles anders. Aber so?" Sie wischte sich die Augen und sah zu Jago. Auch der blickte bekümmert vor sich hin. Auch sein Sohn war nicht heimgekehrt, genau wie Teresas Karel. Beide waren befreundet seit ihrer Kindheit, und gemeinsam waren sie in den Krieg gezogen.

Jetzt sagte Teresa: „Vielleicht die Kinder."

Jago blickte zur offen stehenden Tür: „Die Kinder?"

Teresa erzählte, wie die „Prozession" gestern vor ihrem Haus haltgemacht hatte, wie sie die Kinder versorgt hatten und eigentlich jetzt weiterschicken wollten. Jago nickte.

„Zwei von ihnen kenne ich ja schon. Nette Kinder, aber von Hunger und Entbehrungen gezeichnet. Kann ich mir die anderen auch mal ansehen?"

Teresa führte ihn in die Küche, in der sich jetzt alle versammelt hatten. Mit einem Blick sah Jago, wie viel die vor ihm Stehenden durchgemacht haben mussten.

„Das ist der Heiler", sagte Teresa. „Er will sich euch mal ansehen."

„Warum?", fragte Ambromow misstrauisch.

„Vielleicht kann ich was für eure Gesundheit tun. Ihr hattet ja keine leichten Tage." Teresa übersetzte so gut es ging, was der Mann sagte. Seine Augen hatten eine warme, goldbraune Farbe und schienen mehr zu sehen, als nur das Sichtbare. Die Kinder waren von seiner Freundlichkeit angerührt.

Zuerst schaute er sich Jana an, legte sein Ohr an ihren Rücken.

„Huste mal.“ Er fühlte ihre Stirn und besah sich das Innere ihrer Augenlider.

„Du hast eine Lungenkrankheit, schon lange Zeit“, sagte er. „Aber der Berg hat dir gutgetan. Geh nicht zu viel in die Sonne. Schon wegen deiner hellen Haut.“

Er untersuchte jedes Kind, auch ihre von Blasen vernarbten, von Frostbeulen gezeichneten Füße. „Mit Hahnenfuß baden“, sagte er. „Und ich hab eine gute Salbe.“ Dann wandte er sich an Teresa. „Alle sind sie blutarm. Und natürlich haben sie zu wenig auf den Rippen. Rohe Leber wäre gut und Milch.“

Teresa schwieg.

„Aber krank sind sie eigentlich nicht. Sie könnten dir eine gute Hilfe sein“, fuhr Jago fort. „Ich könnte übrigens auch ein oder zwei brauchen, für die Frühjahrsarbeit im Kräutergarten und bei den Schafen. Hat jemand Lust?“

Die Kinder antworteten nicht. Das ging alles zu schnell. Und es bedeutete wohl, dass sie sich trennen mussten. Das sah auch der Heiler ein. „Ich komme morgen wieder, um nach Lubomir zu sehen“, sagte er. „Ich bringe dann auch Hahnenfuß und die Salbe mit. Jeder kann nun überlegen, was zu tun ist.“

Jago stand auf. Teresa begleitete ihn zu Tür und gab ihm ein Körbchen voll Eier mit. Auf seinen Stock gestützt und von seinem kleinen Hirtenhund begleitet, ging er davon. Teresa war ruhiger geworden und setzte sich zu ihrem Mann.

Die Kinder blieben in der Küche und sahen einander ratlos an. Konnten sie überhaupt selbst entscheiden? Einerseits fühlten sie ein großes Verlangen nach einem sicheren Ort, an dem sie endlich wieder einmal versorgt wurden. Andererseits fürchteten sie, wieder fremder Willkür ausgeliefert zu sein, wie schon so oft. War es nicht doch besser, gleich weiterzuziehen?

„Na ja, wenn zwei zum Heiler gehen, dann sind es nur noch sechs hier", sagte Ambromow. „Dann könnten sie uns vielleicht zwei Monate behalten, bis es warm wird. Und der Heiler ist ja nicht weit weg. Man könnte sogar nachts wieder hierherkommen."

„Und wer will zu ihm?", fragte Ismael leise.

„Ich würde schon gern. Er könnte mir viel über Kräuter beibringen", sagte Ludka.

„Dann geh ich mit", meldete sich Jana, nachdem sie gehört hatte, worum es ging.

„Aber wer hilft dann der Frau hier im Haushalt? Die Zwillinge sind noch klein und außerdem mit den Ziegen beschäftigt."

„Und was wird mit Snaju?"

„Der kann doch bei uns bleiben und wir bei Putje." Für die Zwillinge war alles klar.

„Vielleicht ist es besser, wenn ich mit zum Heiler gehe", sagte Ismael. „Vielleicht will er ja einen Jungen."

Es wurde immer schwieriger.

Schließlich kam Teresa und sagte: „Kommt mal mit."

Lubomir lag flach zwischen seinen rot karierten Bettbezügen. Er sah sehr mitgenommen aus. Die Kinder blieben schüchtern an der Tür stehen und betrachteten die schöne Blumenbemalung des Bettkastens.

„Wer hätte das gedacht, dass ich jetzt hier so dumm rumliege", begann der Hirte. „Jetzt muss ich sogar an euch eine Bitte richten. Wären zwei von euch bereit, eine Weile hierzubleiben und meiner Frau zu helfen, bis ich wieder auf den Beinen bin? Vielleicht Ambromow und du." Er blickte vom Jungen zu dem großen Mädchen. „Ludka heißt du, glaube ich."

„Wir machen das gern", antwortete Ambromow. „Aber ich muss auch an die anderen denken."

„Zwei von euch wollte Jago ja nehmen", fügte Teresa hinzu.

„Aber die Kleinen müssen bei uns bleiben. Wir sind für sie verantwortlich."

Der Hirt wurde ärgerlich. „Sind das denn deine Geschwister? Jeder muss doch heutzutage sehen, wie er zurechtkommt."

„Und wie sollen sie zurechtkommen? Wir sind Wolfskinder, und wir sind ein Rudel", sagte Ambromow nicht ohne Stolz.

„Hör mal zu." Der Hirte hob seine Stimme. „Wenn meine Frau und ich allein sind, reicht ein Brotlaib fast eine ganze Woche. Mit euch reicht er keine zwei Tage. Wie soll das denn gehen? Wir sind arme Leute!" Er schlug mit der Faust auf die Bettdecke und schüttelte den Kopf.

„Das weiß ich auch nicht", erwiderte Ambromow. Es klang nicht trotzig, sondern hilflos, doch Lubomir reizte es noch zusätzlich.

„Macht, dass ihr rauskommt", schrie er und warf den Kindern einen wütenden Blick zu. Ambromow drängte sein Rudel aus der Schlafstube.

„Lubomir", beschwichtigte ihn Teresa. „Wir müssen einen Weg finden. Niemand sonst macht uns die Arbeit nur für ein bisschen Essen. Der Acker muss gepflügt und die Kartoffeln und Rüben müssen gesteckt werden. Der Garten muss umgegraben und eingesät werden. Die Schafe versorgt und geschoren, die Ziegen gefüttert und gemolken, der Zaun geflickt, das Essen gekocht, die Wäsche gewaschen. Ich kann das unmöglich alles schaffen. Oder wir müssen die Tiere weggeben und den Acker unbestellt lassen." Sie war verzweifelt.

„Na, dann sieh du doch, wie du mit den Kindern zurechtkommst." Der Hirte war über seine eigene Hilflosigkeit wütend, aber auch über diese Bettelkinder, die es wagten, Bedingungen zu stellen. „Undankbares Volk!", murmelte er und drehte den Kopf zur Wand.

Teresa ging in ihre Speisekammer. Dort setzte sie sich auf den Hocker und weinte. Sie war keine böse Frau. Aber was man nicht hat, kann man nicht teilen. Sie betrachtete die ziemlich leeren Regale. Was sollte sie nur tun? Dann fasste sie sich. Einiges war ja schließlich noch da. Fürs Erste würde es reichen. Später würde man weitersehen. Es ging ja nicht anders. Ihr Blick blieb an ein paar verhutzelten Äpfeln hängen.

„Vergehen, blühen und reifen", sagte sie. „Irgendwie wird das Leben weitergehen, irgendwie werden wir zum Sommer kommen, dann ist der Tisch wieder reichlicher gedeckt." Sie trocknete ihre Tränen und lachte fast, als sie murmelte: „Wem Gott schickt acht Häsle, dem gibt er auch das Gräsle."

Sie nahm einen halben Eimer Kartoffeln und ging in die Küche. Dort waren nur Aina und Daina, still und stumm.

„Und wo sind die andern?"

Die Mädchen zeigten zur Scheune. „Sie packen."

„Nun mal langsam. Jetzt helft mir erst einmal, die Kartoffeln zu schälen." Und sie griff nach ein paar Messern.

So, als hätten sie nur auf diese Aufforderung gewartet, sprangen die Mädchen hoch, nahmen sich die Küchenmesser, schälten die Kartoffeln ordentlich dünn und ließen sie jeweils mit einem lustigen Plumps in den Wassertopf fallen. „Na, das geht doch", sagte Teresa.

Sie nickte den beiden zu und ging in den Heustall hinüber, dort fand sie die anderen. „Seht mal", sagte sie. „Ihr habt doch schon viele Wege gefunden. Jetzt finden wir auch einen. Kommt rein. Es gibt Quetschkartoffeln mit Buttermilch."

Am nächsten Tag kam Jago und schaute nach seinem Freund.

„Du musst aufhören, wütend zu sein, Lubomir. Das verzögert die Heilung."

„Diese Landstreicherkinder!"

„Du bist nicht wütend auf die Kinder, du bist wütend auf dich selbst, Lubomir."

„Du musst es ja wissen!"

„Weiß ich auch. Du bist wütend, weil du so einfach von der Leiter gefallen bist, ein gesunder Mann wie du!"

Der Hirte antwortete nicht. Er sah zur Decke. Dann flüsterte er: „Das war auch wegen der Kinder."

„Wie das?", fragte Jago.

Wieder schwieg Lubomir eine Weile. Dann sagte er: „Die Prozession, die da von den Bergen kam. Die hungrigen Kleinen. Das Wenige, das wir haben, nicht teilen können. An Karel denken. Die Kinder wegschicken müssen, aber eigentlich nicht wollen. Das verwirrt doch alles. Da tritt man fehl."

„Ich verstehe dich", sagte Jago. Und nach einer Weile. „Man kann sich Entscheidungen aber nicht durch Krankheit entziehen. Behalte also die Kinder für eine Zeit, auch wenn du davon nicht nur Gewinn hast. Sonst verlierst du alles. Aber so hast du deinen Seelenfrieden wieder. Und bis zum Almauftrieb bist du wieder gesund."

Lubomir nickte nachdenklich. Sein Gesicht hellte sich

auf. Er sah wieder ein wenig über den Rand des schwarzen Loches hinaus, in das er gefallen war. Er sah seine geliebten Berge und Almwiesen vor sich, auf die er in ein paar Monaten seine Schafe und die der ganzen Gemeinde treiben würde. Natürlich. Er würde wieder gesund werden.

Ismael stand still neben der Tür. Jago warf einen Blick zu ihm herüber. „Also, ruh dich aus, Lubomir, und lass uns mal machen." Jago ließ ihm einen Kräutertrank da, bettete ihn noch einmal ordentlich und ging.

Als er in die Küche kam, saßen die Kinder da, jedes mit einer Tasse Ziegenmilch und einem Stück Brot. Alle waren sehr früh aufgestanden. Die Zwillinge hatten schon die Ziegen gemolken, die anderen die Schafe, Hühner und das kleine Schwein nach Teresas Anweisungen gefüttert und den Hof gekehrt. Das bedeutete also wohl, dass sechs von ihnen hierbleiben durften.

„Und wer kommt mit zu mir?", fragte Jago.

Ludka meldete sich sofort. Der Heiler lächelte. „Ich habe es gleich gesehen. Du hast Kräuterfrauenhände."

Ludka betrachtete ihre Hände von außen und innen, konnte aber nichts feststellen, außer Schwielen. Dennoch empfand sie es als Lob.

„Und wer noch?", fragte Jago. „Ich." Jana nahm Ludkas Hand. „Aber vielleicht willst du lieber einen Jungen?", fragte Ludka.

„Und ich? Werde ich überhaupt nicht gefragt?" Teresa lachte und stupste Jana an. Sie mochte das zarte Mädchen.

„Wir können es ja einfach ausprobieren. Vielleicht wollen die Seelenzwillinge erst einmal zusammenbleiben", sagte Jago. „ Also, Mädchen, packt eure Sachen."

„Was denn für Sachen?", fragte Teresa. Sie hatten ja nichts. Selbst die Kleider, die sie seit langem auf dem Leibe trugen, bedeckten kaum mehr das Nötigste. Sie waren nicht mitgewachsen. Teresa sah die beiden mitleidig an. Dann nahm sie den Hahnenfuß und die Salbe von Jago entgegen und versprach, den Kindern, die hier bei ihr blieben, abends ein Fußbad zu machen.

So verließen die drei den Hof.

Die anderen sahen ihnen nach. Es war ihnen nicht ganz wohl dabei. „Seelenzwillinge", was für ein Wort?, dachte Ismael. Beide hellblond, aber die eine zart, fast durchsichtig wie ein Engelswesen, die andere stämmig mit breiten Händen und irgendwie „erdig".

„Steht nicht rum, das macht nur traurig", rief Teresa und verteilte die Arbeit für den Tag. Die Zwillinge sollten die Kartoffeln zur Aussaat vorbereiten. Weil es nicht genug gab, mussten alle Knollen, die zwei „Augen" hatten, in Hälften zerschnitten werden.

„Haben denn Kartoffeln Augen?" Ismael dachte, er hätte sich verhört.

Teresa zeigte ihnen die Keimstellen, aus denen die neuen Triebe kamen, und erklärte, dass diese Stellen Augen genannt werden. „Jetzt aber los mit euch!"

Ambromow war im Garten, wo er mit Gylal den Zaun flickte, den letzten Rosenkohl erntete und das alte Unkraut verbrannte. Ismael war zu den Zwillingen gegangen, um ihnen zu helfen. Es war ihnen nämlich langweilig geworden und sie hatten angefangen, mit den Kartoffeln zu spielen, kleine Dörfer und Kuhherden zu bauen. Endlich wurde es Abend. Um sechs Uhr gab es Abendessen, eine Kohlsuppe. Aber dann mussten die Ziegen gemolken und das Vieh noch gefüttert werden. Erst danach füllte Teresa einen Bottich mit warmem Hahnenfußbad. Alle Kinder stellten ihre Füße hinein. Ein merkwürdig angenehmes Gefühl. Teresa sah sich die geschundenen Füße an, schnitt bei allen die Zehennägel, salbte die Frostbeulen und wunden Stellen. „Was für arme Füßchen." Nur Snaju war von der Pflege nicht betroffen. Wo war er eigentlich den ganzen Tag gewesen?

Er hatte einen Freund gefunden – sich mit Peto angefreundet, Peto, der kleine, wuschelige Hirtenhund mit dem nach oben geringelten Schwanz. Peto kannte sich aus auf dem Hof, und Snaju folgte ihm auf Schritt und Tritt. So lernte er das ganze Anwesen kennen. Als guter Hirtenhund hatte Peto schnell begriffen, dass er auf das kleine Menschenkind aufpassen sollte, und drängte es freundlich aber bestimmt von allen gefährlichen Orten weg.

Snaju hatte den Namen des neuen Freundes in seinen Wortschatz aufgenommen. Wenn die andern sich über die Tagesereignisse unterhielten, konnte er nun auch mitreden. „Peto, ja, ja", sagte er und nickte bedeutungsvoll mit dem Kopf.

Todmüde, nach all den getanen Arbeiten, fielen die Kinder endlich ins Heu. Tief und traumlos schliefen sie, sammelten Kräfte für den nächsten Tag. Denn um fünf Uhr früh mussten sie schon wieder aufstehen, um zu melken und zu füttern.

Hier verging die Zeit auf ganz andere Weise als bisher auf ihren Wanderungen. Sie arbeiteten gleichmäßig, nicht mehr nur auf eine augenblickliche, für sie wichtige Aktion hin, aber doch so, dass sie das Gefühl hatten, ihr Essen zu verdienen und auch das von Snaju.

Mittlerweile wurde es wärmer und der Boden war nicht mehr gefroren. Nun musste gepflügt werden. Dazu lieh der Schafhirt sich sonst immer den Ochsen von einem Bauern aus dem Dorf. Aber der Ochse war im Winter gestorben. „Auch das noch!“, sagte Teresa und musste schlucken. Die Jungen besahen sich den Pflug und den kleinen Acker und Gylal bot Teresa an: „Wir können den Pflug ziehen und du pflügst.“

Es war harte Arbeit für alle. Aber es ging. Ludka und Jana kamen in diesen Tagen herüber, kochten und passten auf die Kleinen und das Vieh auf. Sie versorgten auch Lubomir mit Essen und Trinken und schickten die Zwillinge mit dem Frühstück aufs Feld. Wenn die Arbeitenden abends heimkamen, konnten sie sich kaum noch rühren. Mit dem Ochsen war früher das Feld an einem Tag umgepflügt worden. Sie brauchten fünf. Aber was machte das schon? Als sie endlich fertig waren, saßen sie alle am Küchentisch bei der

Mehlsuppe, die die Mädchen gekocht hatten, und waren sehr stolz.

„Was würde ich nur ohne euch machen", sagte Teresa. „Ihr habt euch etwas Gutes verdient."

Sie bat Ludka und Jana, noch für den Backtag dazubleiben. Die Jungen mussten den Holzofen im Backhäuschen einheizen und dann die Glut entfernen. Die Brote wurden mit einem großen Holzschieber hineingeschoben und damit auch wieder herausgeholt. Sieben große Brote und ein Kuchen wurden auf den heißen Steinen gebacken. Die Kinder waren beeindruckt, zu sehen, wie das gemacht wurde: ein Brot, das sie satt machte. Das täglich Brot. Alles roch wunderbar und so etwas Gutes wie den Zuckerkuchen hatten sie überhaupt noch nie gegessen, meinten sie.

„So würde wohl der von deiner Tante in Warschau gewesen sein, Ludka", sagte Ismael.

„Welche Tante?", fragte Teresa, und sie erzählten ihr diesen Teil ihrer Reise.

„Nur noch einmal können wir backen. Dann ist das Mehl zu Ende. Wir müssen irgendwie Geld verdienen, um neues zu kaufen", sagte Teresa und Sorge zeichnete sich auf ihrer Stirn ab. Wie es ist, wenn ein Vorrat zu Ende geht, das wussten die Kinder nur allzu gut. Wie man aber Geld verdient, das wussten sie nicht.

Der Acker musste noch geeggt werden, die Kartoffeln gesetzt und die Rüben gesteckt. Aber im Vergleich zum Pflügen war das alles leicht.

Auch das Umgraben und Bepflanzen des Gartens war nicht so schrecklich. Teresa merkte auch immer besser, wann es genug war für die Jungen, die zwar wie junge Männer arbeiten konnten, aber keine jungen Männer waren. Ihre Rücken und Gelenke waren noch schwach und verletzbar. Gylal gefiel ihr besonders. Sie war sehr zufrieden, als die meisten Frühjahrsarbeiten nach kurzer Zeit erledigt waren. Und das sagte sie auch ihrem Mann.

Aber erst am Waschtag merkte sie wirklich, wie weit die Jungen über ihre Kräfte hinaus und ohne Klage gearbeitet hatten.

Am Waschtag nämlich mussten die Jungen den großen Kessel mit Wasser füllen und darunter Feuer machen. Zuerst wurde die helle Wäsche gekocht und dann die bunte in der kühleren Lauge gewaschen. Schließlich wurde etwas von dem Seifenwasser in einen Bottich abgelassen, in dem sich dann die Kinder waschen konnten. Zuerst die Zwillinge und Snaju und dann die größeren Jungen.

„Ich gieß euch noch warmes Wasser nach", sagte Teresa und machte sich sogleich daran. Als sie mit dem Eimer kam, stockte sie erschrocken. Beide großen Jungen hatten blaue Flecken auf der Brust und tief eingegrabene Striemen auf der Schulter, da, wo der Zugriemen beim Pflügen gesessen hatte. Sie schluckte und konnte nichts sagen, nachdenklich betrachtete sie ihre eigenen Hände, die voller Schwielen und aufgeriebener Stellen waren. Dann zuckte sie die Schultern: So war eben das Leben. Hart zu den Großen und auch zu den Kleinen. Wer hätte daran etwas ändern können?

Von den Kleidern wusch Teresa erst einmal nur die der Zwillinge. In ein Handtuch gewickelt, saßen die beiden dann auf der Küchenbank und kämmten sich gegenseitig die Haare. Das war eine mühselige, stundenlange Arbeit. Sie flochten die nassen Haare zu festen Zöpfen und banden sie mit den alten Schleifen der Kapitänsfrau zu. Die Jungen zogen sich wieder an und halfen Teresa, die Wäsche in der Viehtränke zu spülen und aufzuhängen. Schwer lasteten die nassen Wäschestücke auf ihren Armen.

Teresa wollte sich um die Bekleidung der zerlumpten Kinder kümmern. „Wenn ihr die Ziegen morgens ganz allein melkt, ohne mich, dann habe ich Zeit, euch was zu nähen", sagte sie zu den Zwillingen und steckte sie einstweilen in zwei alte Pullover von sich. Als die Kleider getrocknet waren, versuchte sie, sie mit Stoffresten zu verlängern. Aber der alte Stoff zerriss, sobald man an ihm zog. An vielen Stellen waren auch die Nähte aufgeplatzt. Ziemlich genau ein ganzes Jahr hatten sie als einziges Bekleidungsstück halten müssen. Da nahm Teresa einen blau karierten Bettbezug und nähte daraus zwei neue Kleidchen, schön lang, damit man noch hineinwachsen konnte und mit Puffärmeln. Dazu aus zwei rot karierten Kissenbezügen kleine Unterhemden und Höschen, allerdings mit Bändchen, denn Gummiband gab es nicht. Die Knöpfe der Kissenbezüge verwendete sie für die Kleider.

Die Zwillinge waren überwältigt. Wie ganz andere Mädchen sahen sie plötzlich aus und wagten kaum, sich richtig zu bewegen. Sie umarmten Teresa und küssten sie und Teresa sagte: „Ich hätte nie gedacht, dass ein alter Bettbezug noch so viel Freude machen kann."

Der Hirte lag in seinem Bett und langweilte sich. Er war auch sonst viel allein, besonders im Sommer mit seinen Herden. Aber da gab es immer etwas zu sehen, etwas zu tun. Darum war er jetzt froh, wenn Ismael sich an sein Bett setzte und ihm etwas erzählte. Der Junge berichtete vom Verlauf ihrer Reise, von den Anfängen zwischen Minsk und Pinsk und dann das Meer entlang, wie es ihnen erging in den zerstörten Städten und auf dem Fluss, in der Kapelle und im Wald, im Schloss, im Zug, auf dem Berg und nun hier. Ismael war sehr froh, jemanden zu haben, der nicht weglaufen konnte, sondern ihm gern lange zuhörte. Und der Hirte war froh, etwas von der weiten Welt zu hören und nicht nur die Decke anstarren zu müssen. Er war noch nie aus seinem Tal hier herausgekommen, außer auf seine Alm, sagte er. Und welche weiten Wege hatten diese Kinder schon zurückgelegt! Sollte er sie bewundern oder bedauern? Er wusste es nicht. Aber seine Meinung von den Menschen – und von Kindern im Besonderen – änderte sich auf unmerkliche Weise.

Teresa und die anderen dachten zuerst, Ismael wollte sich vor der Arbeit drücken. Aber dann begriffen sie, dass er, wenn er am Bett des Hirten saß, auch eine wichtige Arbeit leistete. Er wurde immer mehr zum kleinen Pfleger des Mannes. Er brachte ihm das Essen, brachte ihm zu trinken, half ihm auf die Bettschüssel, wenn er mal musste, und rieb ihm seine Beine mit Schnaps ein, damit sich kein Blutgerinnsel in den Venen bildete. Ja, er beruhigte den jähzornigen Mann.

„Kannst du auch lesen?", fragte der ihn eines Tages.

„Nein."

„Mein Sohn konnte lesen. Er war in der Schule."

„Ich war im Lager von Maly Trostinez."

„Was für ein Lager?"

Ismael schwieg. Der Hirte wollte ihn nicht drängen.

„In der Kommode da, im untersten Schubfach, liegt eine Fibel. Hol die mal."

„Was ist eine Fibel?"

„Ein Buch, mit dem man lesen lernt."

Ismael holte die Fibel und gab sie dem Hirten. Sie war schon sehr zerfleddert. Es war auch darin herumgemalt worden. Aber sie war immer noch gut zu gebrauchen.

„Siehst du, das hier ist ein A, wie Acker oder Adler. Und das hier ist ein B, wie Bär oder Biene. So kann man sich anhand der Tiere die Anfangsbuchstaben merken: ‚Der Adler fliegt über den Acker', steht da."

Ismael staunte. „Könntest du mir das Lesen beibringen?"

„Wenn du willst, können wir ja mal damit anfangen, solange ich im Bett liege. Sonst habe ich für so was keine Zeit. Ich schenke dir die Fibel. Wenn du lesen und schreiben gelernt hast, kannst du später einmal all deine Geschichten aufschreiben. Dann werden sie in der Zeitung gedruckt, und du wirst ein reicher Mann."

„Schreiben kann ich auch lernen?"

„Das gehört dazu.“

„Der Adler fliegt über den Acker“, wiederholte Ismael voller Freude.

Jana und Ludka waren nach dem Backen mit einem Brot zu Jago zurückgekehrt. Auch er hatte ihnen ein Bad hergerichtet, allerdings in einem Bottich, in dem er für gewöhnlich die Schafwolle wusch. Viel Wäsche hatte er nämlich nicht. Sein Bettzeug bestand aus Schaffellen. Auch die Mädchen hatten solche Felle zum Schlafen bekommen.

Jago kramte in einer Truhe und brachte zwei alte Kleider und zwei Unterröcke zum Vorschein. Eins der Kleider war hellblau und das andere dunkelgrün, beide aus festem Stoff. „Wenn ihr wollt, könnt ihr sie behalten. Sie haben mal meiner Frau gehört. Jetzt braucht sie hier keiner mehr.“

Jana und Ludka betrachteten die Kleider mit Ehrfurcht. Sie hielten sie sich an, und natürlich waren sie viel zu groß.

Jago riet ihnen, damit zu Teresa zu gehen, um sie zu ändern.

Die Mädchen zogen die dicken, grauen, altmodischen Flanellunterröcke an. Sie gefielen sich darin, lachten und krochen unter die warmen Felle. Sie schliefen in der Wollkammer.

Jago hatte einen Kräutergarten und einige Bienenstöcke. Seit er ein Heiler war, ging er nicht mehr auf die Alm, sondern besuchte die Kranken, zu denen er gerufen wurde. Er besaß eine ganze Kräuterapotheke und die Menschen hielten große Stücke auf ihn. Ludka und Jana halfen ihm so gut sie konnten und lernten viel von ihm. Er hatte drei weiße und zwei schwarze Schafe und konnte sie an ihren Gesichtern unterscheiden.

„Die Stadtmenschen denken, alle Schafe sehen gleich aus, wie die Chinesen. Aber das stimmt einfach nicht."

„Für mich sind sie alle noch Chinesen", sagte Jana und alle lachten.

Den ganzen Tag zu arbeiten, waren die beiden Mädchen ebenso wenig gewöhnt wie die Jungen. Aber wenn sie abends müde waren, gab ihnen Jago ein Johanniskrautöl zum Einreiben und später Presssaft aus Vogelbeeren, mit Honig gesüßt und in die Milch gerührt. Sie bestrichen das frisch gebackene Brot mit Kochkäse. Das alles erzählten sie in glühenden Farben den anderen. „Ist das nicht ein Teil eures Märchens von den Mandarinen?", fragte Gylal.

Es war ein ganz anderes Leben als bisher. Sie mussten nichts neu finden und erfinden. Das war beruhigend – aber auch schwierig, denn sie erhielten das alles nur, wenn sie arbeiteten wie die Erwachsenen. Sie wiegten sich nicht in Sicherheit. Sie waren sich bewusst, dass das alles nur vorübergehend sein konnte. Das Einzige, was sie mitnehmen und besitzen würden, war ihr Wissen. Darum wollten sie davon so viel wie möglich bekommen. Ihre Sicherheit war ihr Wolfsrudel und ihre Hoffnung richtete sich auf die Sonne des Südens.

Jago ging zu seinem Freund.

„Na, Lubomir, langweilst du dich auch kräftig?"

„Überhaupt nicht. Ich höre viele interessante Geschichten von Ismael."

„Jetzt will ich mal nach deinem Becken sehen. Streck die Beine aus."

„Was ist? Kann ich schon in den Stall? Ich würde gerne mit den Jungen die Schafe scheren."

„Sei nicht übermütig." Dann aber nickte Jago befriedigt. „Aufstehen kannst du jetzt schon. Wenn auch nicht die Schafe scheren. Und überhaupt, ist es nicht für die Schafschur noch ein bisschen früh?"

„Was macht das schon? Dann ist es schon getan. Die Kinder bleiben ja nicht ewig."

„Ja, schade. Brauchen könnten wir sie schon. Aber füttern, kleiden und in die Schule schicken eben nicht."

„Denkst du auch manchmal an deinen Sohn?", fragte Lubomir und Jago nickte traurig.

Als sie dann die Küche betraten, staunten alle, dass der Hirte wieder laufen konnte. Die Kinder sahen sich beunruhigt an.

Teresa hatte gerade Kräutertee gemacht. Es gab frisches Brot. Jago hatte Honig mitgebracht. Lubomir, kaum ging es ihm besser, konnte es sich nicht verkneifen, wieder laut zu überlegen, wie lange solch ein Glas Honig reichen würde, wenn sie nur zu zweit wären. Jetzt war es mit einem Niedersitzen leer.

Jago gab Ismael, nicht Teresa, die Salbe aus Bienenwachs und verschiedenen Kräutern wie Ringelblume, Archangelika und Beinwell und erklärte ihm, wie und wie oft er Lubomir damit einreiben sollte. Ismael nahm es mit großem Ernst zur Kenntnis.

„Glaubst du eigentlich an unsern Herrn Jesus?“, fragte Lubomir tags darauf unvermittelt, während der Junge ihn einrieb. Ismael verstand die Frage auf seine Weise: „Ambromow sagt, Glauben ist überflüssig. Entweder man sieht was ganz wirklich, dann braucht man nicht dran zu glauben. Und es nützt auch nichts, wenn man an etwas glaubt, was nicht da ist, denn dann gibt es das deswegen doch nicht. Er sagt auch, wenn etwas funktioniert und sich entwickelt, dann hat das etwas mit Mechanik oder mit Wachsen zu tun und nicht mit dem Glauben. Er sagt, wenn es den Herrn Jesus wirklich gibt, dann ist es dem scheißegal, Entschuldigung, ganz egal, ob man an ihn glaubt. Es gibt ihn trotzdem. Und wenn es ihn nicht gibt, dann bedeutet es auch nichts. Glauben ist also unnütz, sagt Ambromow. Er lacht auch immer, wenn die Mädchen von Engeln reden. Aber weißt du, was ich vermute? Das darfst du aber jetzt nicht weitersagen. Ich vermute, dass Jana ein Engel ist.“

„Hm.“

„Ich habe sogar schon mal heimlich geguckt, ob sie so was wie Flügel am Rücken hat.“

„Und? Hat sie?“

„Nein, nur so Ansätze. Ambromow sagt, das sind nur die Schulterblätter. Aber sie hat eine Engelsstimme, wenn sie singt. Und manchmal sieht sie in die Zukunft. Sie hat Daina und mich aus dem Gefängnis geholt. Einfach so. Sie ist einfach reingegangen, hat dem Polizisten gesagt, er soll aufschließen, hat uns rausgeholt, hat den Polizisten gestreichelt und ist wieder gegangen. Was sagst du dazu?“

„Hmmmm.“

Der Tag war lang gewesen, die Geschichte seltsam. Jetzt brauchte Lubomir Schlaf. Der kleine Ismael deckte den großen Hirten sorgfältig zu und verließ leise das Zimmer.

Am Abend brachte er ihm das Essen und ließ die Tür zur Küche offen. Als der Hirte fertig war, rief Ismael: „Sing doch was, Jana.“ Und während sie das Geschirr abwuschen, sang Jana mit ihrer Engelsstimme:

„Abend wird es wieder.
Über Wald und Feld
Säuselt Friede nieder,
Und es schläft die Welt.

Nur der Bach ergießet
Sich am Felsen dort,
Und er braust und fließet
Immer, immerfort.

Und kein Abend bringet
Frieden ihm und Ruh,
Keine Glocke klinget
Ihm ein Rastlied zu.

So in deinem Streben
Bist, mein Herz, auch du.
Gott nur kann dir geben
Wahre Abendruh’.“

Ismael hoffte, dass Lubomir jetzt verstehen würde, wovon er geredet hatte und nun auch begriff, dass Jana wahrscheinlich ein Engel war. Und Lubomir war ganz still, auch alle anderen waren angerührt, irgendwie. Es schien ihnen, als würden sie durch Janas Gesang zu besseren Menschen. Als Jana mit ihrem Lied zu Ende war, saß sie eine Weile da, in Gedanken versunken.

„Bald wird ein Kommen und Gehen sein", sagte sie dann bedeutungsvoll und – wie es schien – ohne Zusammenhang. Ihr Haar, gegen das Licht des Herdfeuers betrachtet, sah aus wie gesponnenes Gold, um nicht zu sagen, wie ein Heiligenschein.

Am nächsten Tag sollten also die Schafe geschoren werden. Ismael stützte den Hirten, als er in den Stall ging, und bereitete ihm einen Sitz aus Strohballen.

„Jetzt holt ein Schaf!"

Ambromow und Gylal brachten eines der Tiere und Lubomir gab Anweisungen. „Am besten, ihr bindet ihm die Füße zusammen. Erst hinlegen. Festhalten! Festhalten, sag ich! So, du nimmst den Strick und bindest. Rede mit dem Schaf, sonst versteht es nicht, was los ist. – So, und du, Ambromow, nimmst die Schere und fängst am Bauch an, am Halsansatz natürlich. Mit der andern Hand hältst du das Schaf fest."

Ambromow mühte sich. Aber die Schere, die gar keine richtige Schere war, sondern eher wie eine Zange aussah, konnte er nicht mit nur einer Hand bedienen. Seine Finger waren zu kurz und zu schwach.

„Fester drücken!“, rief der Hirte. Aber es nützte nichts. Gylal musste das Schaf halten und wenden, während Ambromow mit beiden Händen die Schere bediente. Natürlich sah das alles sehr ungekonnt aus und gar nicht so, wie es sein musste. Die Jungen schwitzten und waren verzweifelt, und der Hirte wurde immer ungeduldiger. Nun schrie er schon seine Befehle dazwischen. Als Ambromow das Schaf versehentlich beim Scheren verletzte, dass es blutete, wurde Lubomir ganz wild.

„Gib her“, schrie er. „Du versaust ja die ganze Wolle.“

Aber natürlich konnte er selbst nichts machen. Zum Glück kam Teresa gerade dazu.

„Lubomir“, sagte sie. „Reg dich nicht so auf. Du hast auch mal klein angefangen. Am besten du gehst wieder ins Bett und ich zeig den Jungen, wie sie es machen sollen. Ismael, hilf ihm bitte!“

Lubomir stand auf und ging langsam, auf Ismael gestützt, ins Haus zurück. Aber die ganze Zeit hörte er nicht auf, vor sich hin zu schimpfen. „Umbringen werden sie meine guten Tiere!“

Das geschah keineswegs. Teresa war selbst nicht kräftig genug, um die Tiere allein zu scheren, und außerdem war dies eine Männerarbeit. So zeigte sie den Jungen immer wieder, wie sie das Schaf halten und wenden mussten und von welcher Seite sie zu schneiden hatten. Bis zum Abend waren acht Schafe geschoren.

„Das ist doch ein gutes Ergebnis für den Anfang!“

Gylal und Ambromow nickten, aber sie waren völlig erschöpft.

Am nächsten Tag ging es dann weiter. Lubomir ließ sich nicht im Bett halten, versprach aber, nicht mehr so wütend zu werden. Und ganz allmählich wurde es leichter und selbstverständlicher. Als alle Schafe geschoren waren, hatten Ambromow und Gylal das richtige Scheren gelernt. Allerdings konnten sie es nur zu zweit. „Nicht schlecht“, sagte Lubomir schließlich, und das war ein ziemlich großes Lob.

Nun wurde die Wolle in Ballen verschnürt. Dann sollte sie auf dem Wochenmarkt verkauft werden. Teresa mochte Gylal besonders gern. Sie wollte mit ihm ins Tal gehen, jeder mit einem großen Ballen auf dem Rücken. Aber daraus wurde nichts.

„Komm mal mit“, sagte sie aber eines Tages zu Gylal und ging mit ihm auf den Dachboden. Sie kamen mit einer Kiste zurück. Teresa öffnete sie vor den Kindern und wurde ganz wehmütig. Die Kiste war voller Jungenkleider, in allen Größen.

„Die sind von meinem Karel“, sagte sie und reichte Gylal ein Stück um das andere heraus. „Aber der wird ja nun nicht mehr kommen. Und Enkelchen kriege ich dann auch keine.“ Sie nahm eine Hose, ein Hemd und einen Kittel. „Da, zieh das mal an.“ Es passte, und Gylal strich verwundert über sein neues Äußeres. Teresa fand noch zwei ähnliche Hosen und Hemden für die andern Jungen. Dazu einen

Pullover und eine Strickjacke aus Schafwolle. „Die habe ich mal gestrickt."

Schließlich fand sie eine kleine blaue Hose, die an den Schultern zugeknöpft wurde und bunte Flicken auf den kleinen Knien hatte. Tränen traten ihr in die Augen. „Er war so ein niedliches Kind, mein Karel." Sie drehte und wendete die Hose, legte sie aber schließlich auch auf den Haufen der ausgewählten Sachen. Langsam schloss sie die Truhe wieder. Die Kinder hätten gerne etwas gesagt, aber sie wussten nicht was. Sie fühlten nur, dass sie gerade in das Herz der sonst so harten und arbeitsamen Frau geschaut hatten.

Das Schönste war aber, als Snaju die blaue Hose angezogen werden sollte. Er wollte und wollte seine alten Sachen nicht ausziehen. Das machte er nie. Es war schon ein Riesentheater gewesen, als die Mädchen ihn und seine Sachen gewaschen hatten. Fast die ganze Zeit hatte er geheult. Seine Anziehsachen, das war seine zweite Haut. Die brauchte er ganz dringend. Was sollte er mit diesem fremden blauen Ding? Schließlich zog Teresa ihm die Hose einfach über seine alten Sachen. Jetzt sah er aus wie ein kleiner, dicker, blauer Pfannkuchen. Alle lachten und klatschten in die Hände. Da hörte auch Snaju auf zu heulen und machte kleine Kunststücke, stellte sich auf ein Bein oder drehte sich im Kreis. Offenbar empfand er nun die Hose wie eine Verkleidung, ein Clownskostüm. „Irgendwann wirst du schon merken, dass sie jetzt dir gehört, die schöne blaue Hose."

„Hose“, sagte Snaju und ging zu Peto, um sie ihm zu zeigen. „Peto, Hose!“ Er streckte seinen kleinen Bauch heraus und Peto schnüffelte anerkennend an dem Stoff, der nach Mottenkugeln roch.

Am Sonntag kamen Ludka, Jana und Jago wieder zu Besuch. Jago fand, dass sein Freund nun bald gesund genug wäre, um die Schafe auf die Alm zu treiben. Was auch wichtig war, denn das war Lubomirs Jahresverdienst. Er würde alle Schafe und Ziegen des Dorfes und der Umgebung einsammeln und sie mit seinen eigenen auf die saftigen Bergweiden treiben. Sollten die Kinder ihm dabei helfen? Sie fragten teils begeistert, teils vorsichtig. Lubomir knurrte irgendetwas Unverständliches in seinen Bart. Offenbar hatte er sich dazu noch keine Gedanken gemacht.

Es war ein warmer Tag. Teresa hatte mit ihnen den Tisch vors Haus gestellt. Es gab Honigbrot und Lindenblütentee. Alle bewunderten die neuen Sachen, die sie erhalten hatten. Und Ludka und Jana holten Strickzeug heraus. Stolz zeigten sie es herum.

„Und spinnen haben wir auch gelernt.“

„So? Ich dachte, das konntet ihr schon.“ Ambromow war mal wieder frech. Aina und Daina sahen neidisch auf das Strickzeug der Großen.

„Können wir das auch lernen?“

„Na klar. Nur Wolle muss man eben haben.“ Ludka und Jana widmeten sich ganz und gar ihrer neuen Tätigkeit.

„Was soll das denn werden?“

„Eine Jacke.“
„Das ist aber viel Arbeit.“
„Ja“, sagte Ludka stolz.

Auf einmal ließ Jana ihr Strickzeug sinken und sah über die Wiesen hinüber zum Waldrand, aus dem sich der Weg wie ein gelbes Band hervorschlängelte. Dort, in der Ferne, waren zwei graugrüne Gestalten zu sehen. Sie gingen sehr langsam, der eine stützte sich auf den anderen. Kaum hoben sie die Füße vom Boden. Es sah merkwürdig unwirklich aus, als bewegten sie sich im Wasser fort, als hielten sie sich auf dem Meeresgrund auf und mussten angehen gegen den Widerstand der Fluten. Jetzt folgten alle Janas Blick. Kam da wirklich jemand? Oder bewegten sich nur die Bäume?

Es entstand eine angespannte Stille. Jeder versuchte zu erkennen, was und wer da kam. Sehr, sehr langsam näherten sich die Gestalten, wurden immer deutlicher und deutlicher, und endlich konnte man ihre Gesichter erkennen.

Teresa wurde kreidebleich. „Karel!“, schrie sie, sprang auf und rannte den beiden entgegen.

Die Ebene

Lange Zeit konnten sie nicht über die Hirtenfamilie sprechen. Der Abschied war zu schmerzlich gewesen. Vielleicht der schmerzlichste überhaupt, obwohl sie freiwillig gegangen waren, damit man sie nicht fortschicken musste. Am Tag nach der Ankunft der großen, tot geglaubten Söhne waren sie alle schon mit gepacktem Bündel zum Frühstück erschienen. Teresa und Lubomir hielten sie nicht zurück, aber sie beschenkten sie reichlich. Jeder bekam einen Essensvorrat und noch ein persönliches Geschenk. Ismael erhielt die Fibel. Ambromow und Gylal bekamen Werkzeug, das sie in der Zukunft, wenn sie vielleicht Wanderarbeiter wären, noch gut brauchen konnten. Die Mädchen bekamen Nähzeug und viel Wolle. Und natürlich war das überwältigendste Geschenk die Ziege für die Zwillinge.

Die Kinder konnten an all dem sehen, dass sie diesen Menschen nicht gleichgültig waren. Und dafür empfanden sie eine ganz besondere Dankbarkeit. Auch hatten sie in den vergangenen Wochen viel gelernt und die Älteren von ihnen waren ein ganzes Stück erwachsener geworden. Anerkannt als gute Arbeiter. Das gab ihnen den Mut, auch auf anderen Höfen zu versuchen, ihre Arbeitskraft anzubieten. Ein neuer Abschnitt ihres Wanderlebens begann.

Als Ambromow und Ismael an die Tür des Bauern klopften und eintraten, saß der Mann am Küchentisch und frühstückte. Die erste, frühe Schicht lag schon hinter ihm. Jetzt trank er seinen Most und schnitt sich gerade ein dickes Stück Brot ab.

Noch immer waren sie im gleichen Landstrich. Bei Teresa und Lubomir hatten sie ein paar Sätze der Sprache gelernt, so grüßten sie höflich und fragten, ob er Arbeit für sie habe. Der Bauer musterte sie erstaunt.

„Sehr kräftig seht ihr nicht aus. Was könnt ihr denn?"

„Na, alles."

„So, so. Und was wollt ihr dafür?"

„Essen."

Der Bauer dachte nach.

„Für die Ernte ist es noch zu früh. Aber die Kirschen müssen runter. Jule!", schrie er und eine dicke Bäuerin betrat die Küche.

„Wolltest du nicht die Kirschen einkochen? Hier wären zwei Pflücker."

Die Frau betrachtete sie misstrauisch. „Wo sind denn eure Eltern?"

„Wir haben keine."

Die Bäuerin sah sie weiter misstrauisch an. Dann ging sie in die Kammer und kam mit zwei Körben zurück, die man sich um den Bauch binden konnte. Darauf zeigte sie ihnen die Kirschbäume hinterm Haus und stellte noch einen weiteren Korb dazu. Ambromow und Ismael pflückten den ganzen Tag. Einmal kam die Frau und brachte Most und Brot.

Am Abend waren die zwei Kirschbäume abgeerntet. Die Jungen wuschen sich die Hände am Brunnen und kamen in die Küche.

Niemand beachtete sie.

„Was ist?“, fragte schließlich die Bäuerin.

„Unser Lohn.“

„Na, ihr werdet euch doch an den Kirschen satt gegessen haben. Das reicht wohl“, sagte die Bäuerin abweisend und rührte weiter in ihrem Kochtopf. Das hörte der Bauer, der gerade zur Tür hereinkam.

„Man soll uns nicht nachsagen, dass wir Ausbeuter sind“, sagte er.

„Wenn du sie nicht am Tisch hier essen lassen willst, dann gib ihnen etwas mit.“

Die Bäuerin tat, als hätte sie das nicht gehört. Ambromow und Ismael sahen gequält zu Boden. Sie schämten sich, obwohl es eigentlich keinen Grund dafür gab. Sie hatten ihre Arbeit ordentlich getan. Da ging der Bauer in die Speisekammer, kam mit einem Brot und einem Stück Wurst zurück und gab beides Ambromow.

„Wer arbeitet, soll auch essen“, sagte er mit Nachdruck. „Wir sind anständige Bauern!“

„Danke!“ Ambromow und Ismael sahen den Bauern achtungsvoll an. Dann gingen sie, hörten aber noch, wie die Bäuerin maulte: „So ein Quatsch. Willst du für jeden Dahergelaufenen jetzt unsere Speisekammer plündern?“

„Dahergelaufen oder nicht“, herrschte ihr Mann sie an. „Sie haben gut gearbeitet. Für ihr Schicksal können sie nichts. Und du, stell jetzt endlich die Suppe auf den Tisch."

Die Jungen grinsten.

Hinterm Dorf gab es ein Wäldchen mit einer großen Ruine darin. Dort waren die Kinder jetzt untergekommen. Es war nicht mehr zu erkennen, was das Gebäude einmal gewesen war, ein Schloss oder vielleicht auch eine Kirche. Egal. Die Ruine war nun ihr Versteck. Ein Dach gab es nicht mehr, aber eines der Geschenke, die sie zum Abschied von Lubomir und Teresa bekommen hatten, war eine Militärzeltplane gewesen, die Karel mitgebracht hatte. Unter diesem Dach saßen jetzt Jana und Snaju und spielten mit Tannenzapfen. Jana versuchte, mithilfe von Stöckchen kleine Schafe daraus zu basteln. Etwas weiter, angepflockt, stand Putje und fraß das Gras vom Wegrand. Ja, wirklich! Das lebensrettende Geschenk! Solange die Kinder Putjes Milch hatten und wenigstens ein kleines bisschen Essen auftreiben konnten, verhungerten sie nicht.

Etwas später kamen auch Gylal und Ludka, Aina und Daina zurück. Immer nur zwei gingen auf die Suche. Das machte die Aussicht auf eine Arbeit größer, als würden sie zu sechst bei den Bauern auftauchen. Jana ging es nicht gut. Die reine klare Luft in den Bergen war ihr besser bekommen als die Luft hier in der Ebene, wo oft feuchter Dunst über die Felder zog. So war sie für Snaju zuständig, und immer erwarteten beide die Rückkehr der Freunde in der Hoffnung, dass sie ihnen etwas zu Essen mitbrachten, und nur selten kamen die „Wanderarbeiter" mit leeren Händen zurück.

Aina und Daina hatten heute bei einer Bäuerin Wäsche gewaschen. Den ganzen Tag hatten sie auf dem Waschbrett gerubbelt und geschrubbt, die Wäsche gespült, ausgewrungen und aufgehängt und die weißen Tücher zum Bleichen auf der Wiese ausgebreitet. Diese Bäuerin war nett, hatte ihnen ihre Schüsselchen mit Quark vollgefüllt, hatte Brot dazugegeben und ihnen zwei Schürzen geschenkt.

„Damit ihr eure schönen Kleider nicht schmutzig macht, sonst schimpft eure Mutti."

„Wir haben keine Mutter", hatte Aina gesagt. Aber Daina hatte wie immer geschrieen: „Wir haben wohl eine Mutter!"

„Ja, aber nicht hier."

„Wo ist sie denn?"

„In Sibirien."

Die Bäuerin wusste sehr wohl, was das hieß, und hatte Mitleid. „Wenn ihr wollt, kommt morgen wieder. Es gibt genug Arbeit im Haushalt."

„Wo wir wohnen, hat sie uns lieber nicht gefragt", beendete Aina den Bericht.

Sie wanderten weiter.

Es gab Arbeit auf ihrem Weg, doch nirgends konnten sie bleiben. Wohl aber waren ihre Rucksäcke oft wieder gefüllt, wenn sie einen Hof oder einen kleinen Ort verließen. Ambromow packte seinen Kompass aus und so bewegten sie sich direkt nach Süden.

Aus dem Frühling wurde Sommer. Bald waren die dicken Kleider den großen Mädchen zu warm. Also trennten sie die Ärmel heraus. Das sah nett aus. Jana strickte immerzu Socken, damit sie in ihren rauen Stiefeln gut wandern konnten und sie sang weiter ihre Lieder und erzählte Geschichten. In ihrer Geschichtenwelt war es immer schön. Aber auch ihr Leben war zu dieser Zeit nicht allzu schwer. Und da sie niemals lange in einer Gegend blieben, nahmen auch die Behörden keine Notiz von ihnen. Auch waren sie wieder in einem neuen Land, es hieß Ungarn und wieder sprachen die Leute hier anders, viele von ihnen Deutsch. Alles ging gut, bis sie zu einem bösen Ort kamen.

Der Sommer neigte sich schon langsam seinem Ende zu. Sie fingen an, Nüsse und andere haltbare Sachen für die kalte Jahreszeit zu sammeln. „Wie die Eichhörnchen", sagte Ludka. Die Schrecken des letzten Winters saßen ihnen noch in den Knochen. Aber noch war es angenehm warm. Eines Tages kamen sie in ein eigenartiges Dorf. Die Häuser waren aus grauem Stein. Auch die Dächer waren grau. Es gab keinen einzigen Blumenkasten, keinen Garten. Das war beklemmend. Als sie ein Stück die Dorfstraße entlanggegangen waren, stürmte plötzlich aus einer Seitengasse eine Horde Jungen. Sie lachten, schrien und johlten. Die Kinder verstanden sie nicht. Aber es klang nicht freundlich. Plötzlich begannen die fremden Jungen, mit Steinen zu schmeißen. Gylal und Ambromow wurden wütend und warfen zurück, während die Mädchen mit der Ziege und Snaju losrannten. Doch sie waren nicht schnell genug. Die Horde kam ihnen immer näher. Plötzlich traf ein Stein Ambromow an der

Schläfe. Er blutete heftig. Jetzt fingen alle an, um Hilfe zu schreien, und plötzlich stand die hohe, schwarze Gestalt eines Geistlichen auf der Straße. Mit durchdringender Stimme befahl er den Jungen aufzuhören. Es klang nicht wie Donnergrollen, eher wie eine Blechtrompete. Aber es tat seine Wirkung. Das Steinewerfen hörte auf.

Die Kinder hofften nun, dass der Geistliche sie in seine Kirche mitnehmen würde, aber er rief ihnen etwas zu, das nicht nach einer Einladung klang, und machte dann eine wegscheuchende Bewegung mit dem Handrücken. Schließlich klatschte er sogar in die Hände, um sie zur Eile anzutreiben, als seien sie eine Schar Hühner. Entsetzen erfasste sie. Gylal griff nach Snaju und sie rannten so schnell sie konnten aus diesem Gespensterdorf hinaus. Die anderen verfolgten sie nicht mehr. Niemand im Dorf hatte einen Fensterladen oder eine Tür geöffnet.

Endlich kamen sie in den Wald und fielen zu Boden. Dieses Brennen in der Luftröhre, das man fühlt, wenn man zu sehr rannte, das kannten sie schon. Doch diesmal war es verbunden mit dem Gefühl von Schrecken und Demütigung.

Ambromow bekam von Ludka einen Kopfverband. Er hatte starke Schmerzen und sagte, ihm sei schwarz vor den Augen. „So eine Gemeinheit!“ Trotz allem waren die anderen froh, dass er wenigstens wütend war.

Ismael erkundete die Gegend allein. Schließlich fand er eine kleine verlassene Hütte am Waldrand, vielleicht von einem Wildhüter oder von Holzfällern. Die Hütte war ein ganzes

Stück vom Dorf entfernt, aber doch nicht weit genug, wie sich zeigen sollte.

Mittlerweile war es dunkel geworden. Sie legten sich einfach auf den Boden und schliefen ein. Draußen fiel ein Nieselregen. Wie üblich nach aufregenden Tagen schrie Ismael im Schlaf. Mitten in der Nacht rüttelte Ambromow ihn. „Weil du ja nun schon mal wach bist, kannst du auch gleich die nächste Wache übernehmen. Eh du einschläfst, wecke Gylal."

Trotz seiner Kopfverletzung war Ambromow die ganze Zeit wach geblieben, um sie zu beschützen. Ismael wurde heiß ums Herz. Er liebte und bewunderte den Freund, mit dem er schon seit fast zwei Jahren unterwegs war. So saß er nun, starrte hinaus in den Nieselregen, hörte auf jedes Geräusch, das der Wald machte, und versuchte, sich zu konzentrieren, um nicht einzuschlafen. Was ihm auch gelang. Nach einer Zeit, die ihm wie eine Ewigkeit vorkam, weckte er Gylal für die dritte Schicht.

Aber dann geschah es.

Gylal musste eingenickt sein, denn als er die anderen ganz aufgeregt weckte, konnten sie schon den Mann und den Polizisten im Morgendämmer herankommen sehen.

Schon waren die beiden nahe an der Hütte. Der Mann erklärte dem Polizisten lautstark irgendetwas, wobei er immer wieder auf die Ziege deutete und sich dann an die Brust schlug. Dann zeigte er auf die Kinder, die inzwischen herausgekommen waren, und machte die Gebärde des Wegnehmens. Seine Augen waren stechend und gierig. Es war klar, was er meinte. Jetzt trat Jana vor die Kinder hin. „Was wollen Sie hier und was gibt es für einen Grund, uns zu erschrecken?"

„Ah, die Dame spricht deutsch", sagte der Polizist höhnisch. „Der Bauer sagt, ihr habt ihm seine Ziege gestohlen. Also, her damit."

„Das ist nicht wahr", sagte Jana ungerührt. „Die Ziege gehört uns. Wir sind gestern hier angekommen."

„Und wo seid ihr her?"

Jetzt zögerte Jana. „Aus Polen", sagte sie unsicher. Die Männer sahen sich an und grinsten. Sie glaubten kein Wort.

„Papperlapapp, so weit kann keiner laufen! Ihr seid Lügner durch und durch! Also, her mit der Ziege", befahl der Polizist, und der andere Mann ging auf das Tier zu. Alle Kinder stürzten sich auf Putje, hielten sie fest und schrien wie am Spieß. Die Männer hatten keine Chance. Fluchend zogen sie wieder ab. Doch nur fürs Erste.

Die verängstigten Kinder hatten beschlossen, schnell weiterzuwandern. Sie wuschen sich am Bach, melkten die Ziege, tranken die Milch und wollten gerade aufbrechen, als sie ein voll besetztes Polizeiauto auf dem Weg herankommen sahen. Sie rissen ihre Rucksäcke hoch und rannten den leicht bewaldeten Abhang hinunter. Sie rannten und rutschten und kugelten, kamen wieder auf die Füße und rannten weiter. Sie rannten um ihr Leben, hinter ihnen sechs Polizisten.

Plötzlich tat sich vor ihnen ein riesiges Wasser auf. Ende!

Im letzten Augenblick sahen sie einen Kahn und sprangen hinein. Ambromow warf einen schnellen Blick auf sein Rudel und als niemand fehlte, löste er den Strick. Gemächlich trieb der Kahn in die Mitte des riesigen Flusses. Aber es fehlte doch jemand: Putje. Sie hatte dem rasanten Abstieg nicht folgen können. Minuten später waren die Polizisten am Ufer. Sie schossen hinter ihnen her, aber der Kahn war zum Glück schon außer Reichweite. Warum taten sie das? Sie hatten ja nun die Ziege!

Erschöpft sanken die Kinder ins Boot. Bis auf Ambromow und Gylal weinten alle. Aber auch sie, die beiden Großen, zitterten und schnieften. Gylal hatte zudem seinen Rucksack weggeworfen, weil er Snaju tragen musste. Und die kleinen Mädchen hatten wieder ihre geliebte Putje verloren, diesmal sicher unwiederbringlich. Alle waren ganz und gar untröstlich.

Sie lagen oder saßen im Kahn, unfähig, irgendetwas zu tun. Aber allmählich trösteten sie die sanften Bewegungen des Flusses. Der Kahn wurde zur Wiege und der Fluss zur Mutter, die sie sicher trug. Jana fing als Erste an, davon zu sprechen. Sie sagte, diese Mutter sei groß und sehr schön und sie habe lange schwarze Haare. Tatsächlich kräuselte und strähnte sich das Wasser an manchen Stellen, sodass es wie wallendes Haar aussah. Die Nacht kam, und sie glitten hinüber in eine andere Welt. So sehr sie sich an Schmerz und Schrecken erinnerten, so sehr empfanden sie auch dieses sanfte Gefühl von Gerettet- und Geborgensein.

Der Strom

„Wir fliegen, wir fliegen!", rief Daina. Einer nach dem anderen erwachte.

Tatsächlich fühlte es sich mehr nach Fliegen als nach Schwimmen an. Der Strom war unglaublich breit und schien nirgends anzufangen oder zu enden. Vielleicht floss er in die Sonne, die jetzt rot im Osten aufging. Ismael wurde klar, dass sie auf diesem Fluss nicht mehr nach Süden unterwegs waren, aber er wagte nicht, davon zu sprechen. Ambromow tat, als ob er noch schliefe, aber auch er hatte bemerkt, das sie gewaltsam in eine andere Richtung gedrängt worden waren, die nicht mehr zum „Himmel auf Erden" führte, sondern wieder gen Osten. Da schien seine Hoffnung zu erlöschen, und sein Mut sank. Von jetzt an war er nicht mehr derselbe, sondern glich einem verletzten Leitwolf, der sein Rudel nicht mehr zum Sieg führen konnte. Ismael gewahrte die Veränderung, die mit seinem Freund vor sich ging. Unwillkürlich übernahm er einen Teil seiner Aufgaben.

Die Sonne stand schon hoch am Himmel, da zeigte sich in der Mitte des Stroms eine Insel. Der Kahn blieb am Ufergebüsch hängen.

Und dann, am nächsten Morgen, geschah etwas, von dem sie nicht wussten, ob es eine von Janas Märchengeschichten war, oder ob es wirklich passierte.

Es kam ein Hirte mit seiner Kuhherde ans Flussufer. Die Kühe stiegen ins Wasser und schwammen zur grünen Insel, wo sie den ganzen Tag allein weideten, während der Hirte einer anderen Beschäftigung nachging. Am Abend schwammen die Tiere allein zurück und der Hirte führte sie wieder nach Hause.

Das wiederholte sich nun jeden Tag. Die Kinder hatten ihren Kahn am Ufer dieser Insel vertäut, eine Insel, die voll von saftigem Gras und kleinen Büschen war. Niemand außer dem Hirten ließ sich hier blicken. Es schien, als habe Putje ihnen zum Trost die Kühe geschickt, damit sie nicht ohne Milch bleiben mussten. Melken hatten sie ja fast alle gelernt. Die Kühe waren freundlich und ließen sich geduldig ein wenig abzapfen. Davon ernährten sich die Kinder. Und so verbrachten sie ein paar wunderbare Tage auf der Insel der seligen Kühe.

Dann, an einem Abend, sahen sie, dass der Hirte am gegenüber liegenden Ufer sich mit einem anderen Mann unterhielt und dabei zur Insel hinüberwies. Hatte er sie bemerkt? Die Kinder wollten sich keiner neuerlichen Gefahr aussetzten, stiegen in ihren Kahn und fuhren weiter. Es war schön für sie, einen eigenen schwimmenden Ort zu haben. Sie mussten nichts tun und kamen trotzdem voran. Nur, wo führte die Reise hin?

„Ein Fluss fließt auf jeden Fall zum Meer", sagte Jana. „Und liegt das nicht auch im Süden?" Dabei sah sie Ambromow aufmunternd an. Der aber sagte nichts mehr.

Stunde um Stunde, Tag um Tag glitten sie dahin. Ja, auch nachts ging ihre Reise weiter, wie von Geisterhand geführt. Sie hatten Zeit, viel Zeit. Niemand maß ihre Stunden. An schönen Ufern vorbei, an Feldern, Wäldern, Weinbergen und Burgen. Nirgends blieben sie lange, bekamen hier ein paar Trauben, da eine Melone oder einen gebratenen Fisch geschenkt, von freundlichen Leuten, die ihnen nachwinkten und sie wohl auf einem Ausflug wähnten. Das Boot wies sie als „richtige Leute" aus. Sie waren wer. Aber wer waren sie wirklich? Durch das ständige Schaukeln des Kahns kamen sie ins Träumen.

„Wenn ich groß bin, werde ich Schriftsteller", sagte Ismael. „Dann schreibe ich alles auf, was wir erlebt haben."

„Na, pass aber auf, du musst schon richtige Geschichten daraus machen. Sonst liest es keiner." Aina gab ihm diesen guten Rat.

„Ja, zum Beispiel eine Kuhgeschichte", sagte Daina und dachte an die Tage auf der Insel. „Erzähl mal, Jana."

Und Jana erzählte.

„Es war einmal ein Kuhmädchen, eine Prinzessin. Sie war nicht ganz schwarz oder braun wie die meisten anderen Kühe. Nein. Sie hatte auf der Stirn einen weißen Fleck, gezackt wie eine Krone. Auch ein weißes Lätzchen hatte sie und vier weiße Socken. Sie war zierlich und ein wenig eigensinnig. Viele hätten sie gerne zur Frau gehabt, nicht nur, weil sie eine Prinzessin war, sondern weil sie so hübsch war und sich anmutig zu bewegen wusste. Aber sie lehnte jeden ab, der zu ihr kam, um sie zu heiraten, sprang nur herum, zupfte am Gras und gab noch nicht einmal Milch.

Eines Tages sagte ihre Mutter: ‚Schluss jetzt. Such dir einen Mann.'

‚Wo denn', jammerte die kleine Kuhprinzessin.

‚Was weiß ich. Auf dem Mond, im Wasser, auf den Bergen oder in Buxtehude', sagte die Mutter ärgerlich. ‚Jedenfalls ist jetzt Schluss mit dem Rumgezicke.'

‚Ich bin aber eine Kuhprinzessin', erwiderte die kleine Kuh und schmollte.

‚Na, dann eben Schluss mit dem Rumgekuhe!' Und damit wandte die Mutter sich ab. Da wusste die kleine Kuh sich keinen andern Rat mehr. Sie schwamm auf eine einsame Insel und fand dort einen Traummann, einen Stier, schwarz gelockt und mit einem rosa Herz auf der Stirn."

Die Kinder hörten still zu, gaben sich wieder dem wiegenden Gleiten auf dem Wasser hin und schliefen darüber ein, waren einfach zu müde, um nach dem Ende der Geschichte zu fragen. Eine Hochzeit vielleicht? Ismael nahm sich vor, die Geschichte nicht zu vergessen, sondern sie weiterzuschreiben.

Sie trieben auf eines der Ufer zu und wachten erst auf, als nette Leute zwei Wassermelonen in den Kahn warfen. Es krachte, als die großen grünen Kugeln platzen, und alle nahmen die roten Stücke, aßen und spuckten die Kerne ins Wasser. Bald waren ihre Gesichter vom roten Saft verschmiert. Das war ein schöner Tag.

„Und Du? Was willst du denn mal werden?", fragte Ludka am Abend.

Jana dachte nach. „Sängerin, glaube ich. Wenn ich mal erwachsen und gesund bin, dann singe ich in einem großen Opernhaus, in einem Saal mit tausend goldenen Verzierungen und viele, viele Menschen freuen sich und hören mir zu."

„In einer Kirche könntest du auch singen", sagte Ismael. „Du hättest ein wunderschönes Kleid an und alle dächten, du wärst ein Engel."

Er lächelte und schaute versonnen zu ihr hinüber.

Dann schaukelten und trieben sie weiter dahin und knabberten an den Nüssen, das Einzige, was sie noch zum Essen hatten.

So knabberten sie sich in den Schlaf.

„Wenn ich groß bin", sagte Ludka am nächsten Tag, „dann gehe ich zurück auf meinen Hof."

„Aber der gehört doch dann jemand anderem!"

„Dann kaufe ich ihn eben zurück. Ich werde Bäuerin und Kräuterfrau und ich hoffe, jemand von euch kommt mit." Alle wussten, wen sie meinte, und sahen zu Ambromow hin. Ludka schaute in den Himmel, wo die Wolken zogen. „Ich sehe zwei Pferde, da. Und abgesehen von der Lämmerherde sehe ich auch noch drei fette Schweine. Ach, leider lösen die sich jetzt in Luft auf. Na ja, so ist das ja mit den Schweinen. Das ganze Jahr füttert man sie, und dann landen sie im Kochtopf."

„Hör auf", sagte Gylal. „Ich werd schon ganz hungrig."

Aber Ludka schwärmte weiter von ihrem Bauernhof: Wie sie alles neu einrichten würde, dass sie die Fensterläden diesmal leuchtend blau streichen würde und was sie in die Blumenkästen pflanzen wollte. Sie sprach von den Puten, den Gänsen und dem Hahn. Und natürlich gab es einen treuen Wachhund. Nicht so einen blöden Köter an der Kette. Nein, einen großen, klugen Hund, braun und weiß gefleckt. Hasso würde er heißen. Sie schien glücklich und die andern hörten ihr gern zu.

„Wenn ich groß bin, werde ich Sekretärin und schreibe die Geschichten auf, die Ismael mir erzählt", sagte jetzt Daina. „Ich kann dann ganz rasend schnell tippen. Allerdings musst du mir eine Schreibmaschine kaufen, Ismael."

„Wird gemacht", sagte Ismael.

„Wir werden dann in einer sehr großen Stadt wohnen, in einer sehr schönen Wohnung im siebten, nein, im zwölften Stock", fügte sie noch hinzu.

„Einen zwölften Stock gibt's doch gar nicht. Und ich finde es überhaupt nicht schön, in der Stadt zu wohnen", sagte Aina.

„Brauchst ja nicht mitzukommen", war Dainas schnippische Antwort.

„Aber du und ich ... ich meine ..." Aina sah sie entsetzt an. Zum ersten Mal kam ihr offenbar der Gedanke, dass sie beide vielleicht nicht das ganze Leben zusammen verbringen würden. Sie fing an zu weinen. Sofort nahm Daina sie in den Arm und tröstete sie.

„Natürlich bleiben wir zusammen, und wir müssen ja nicht in der Stadt leben und schon gar nicht im zwölften Stock! Deswegen brauchst du doch nicht zu weinen." Eng umschlungen lagen sie eine ganze Weile im Kahn. Ismaels Gedanken kreisten um die Frage, ob er, wenn er Daina einmal heiraten wollte, Aina auch mitheiraten müsste. Na ja, so schlecht wäre das ja eigentlich nicht.

Ambromow sagte nur: „Wenn ich je groß bin, werde ich meine Mutter suchen und finden. Dann werde ich wieder Nikolas heißen und es wird Frieden sein."

„Nikolas", flüsterte Daina mit einem Lächeln.

Schließlich erzählte Gylal. Das war erstaunlich, denn er redete nie viel. Er erzählte sonst kaum etwas von sich.

„Bevor ich und meine Mutter aus der Ukraine weggingen, damals, habe ich eine Frau getroffen. Sie hat mir erzählt, dass mein Vater zwar im Kohlebergwerk mit ihrem Mann zusammen gearbeitet habe, aber sie seien eigentlich Partisanen gewesen, die unser Land von der Fremdherrschaft befreien wollten. Und sie seien gar nicht bei einem Grubenunglück ums Leben gekommen, sondern erschossen worden. Sie hat ganz leise gesprochen, und ich sollte es nicht meiner Mutter erzählen. ‚Aber ein Sohn muss wissen, wer sein Vater war', meinte sie. Daran muss ich oft denken. Wenn ich groß bin, werde ich Partisan und befreie mein

Land von der Fremdherrschaft. Ich hoffe, ihr helft mir dabei." Er sah sehr entschlossen aus.

Natürlich waren alle dazu bereit. Sie konnten sich Gylal gut als Helden vorstellen, auch wenn sie nicht wussten, wo eigentlich sein Land war und unter welcher Fremdherrschaft es stand. Es war völlig klar, dass sie zusammengehörten, und seine Feinde auch ihre Feinde waren. So vermischte sich die Zukunft mit ihrer Gegenwart. Sie wussten viel zu wenig, als dass sie sich die Zukunft wirklich vorstellen konnten. Was einmal sein würde, war eine Fantasiegeschichte, die man so oder so erzählen konnte, und immer war sie richtig. Sie war etwas Großes, Schönes und Hehres, voller Wunscherfüllung.

„Und du, Snaju, was willst du denn mal werden?", fragte Ludka.

„Alt", sagte der Jüngste.

Sie starrten ihn an. Mit einem Mal wurde ihnen die ganze Tragweite dieses einfachen Wunsches bewusst, der sich möglicherweise nicht erfüllen würde. Ein Bangen erfasste sie, ein Verlorensein. Sie alle hatten einen Kloß im Hals, räusperten sich und konnten doch nicht sprechen.

Es wurde Abend, und dann fing es auch noch an zu regnen. Sie hockten stumm im nassen Boot. Jana breitete die Zeltplane über ihnen aus. Sie saß im Bug und fing an zu singen.

Sie sang gegen den Regen an, und ihre Stimme war

sanft und zugleich deutlich. Da wurde ihnen besser und sie schliefen in ihrer Wiege ein, von der Flussmutter getragen.

Eigentlich hätten sie jetzt irgendwo an Land gehen müssen, um zu arbeiten oder zu betteln. Aber sie konnten sich einfach nicht aufraffen. Das Ufer sah jetzt arm und kalt und fremd aus. Fast war es da in ihrem Kahn gemütlicher. Sie brauchten keine Entscheidungen zu treffen und sich nicht durchkämpfen. Trotzdem bewegten sie sich einem ersehnten, unbekannten Ziel entgegen. Zu essen hatten sie kaum noch etwas. Nur einen Rest fein gemahlenes Hafermehl. Gylal hatte es einmal aus einer Mühle mitgebracht. Sie taten etwas davon in ihre Becher und schöpften Wasser aus dem Fluss dazu. Es wurde ein milchiger dünner Brei und schmeckte nicht allzu schlecht. Aber schließlich strengte sie auch das zu sehr an. Mehr und mehr wurde nur noch geschlafen oder vor sich hingedöst. Vorne im Bug lag Jana, und ihr helles Haar schwappte wie eine Welle über den Rand des Kahns. Sie lächelte im Schlaf. Auf ihren langen hellblauen Rock hatten sich die Zwillinge gelegt. Sie hielten sich wie immer an den Händen, denn es ging die Sage, dass dann Geschwister den gleichen Traum träumen. Sie sahen aus wie Schneeweißchen und Rosenrot, die von ihrem Schutzengel vor dem Abgrund bewahrt werden.

In der Mitte des Kahns lag Ambromow. Er hatte seinen Arm um Ludka gelegt, die ihren Kopf an seine Schulter schmiegte. Wie ein Liebespaar, wie alle Liebespaare der Welt, hielten sie einander im Schlaf umschlungen.

Gylal lag auf der Seite, den Kopf in der Armbeuge. Auf ihm lag Snaju wie ein kleiner Bär im Winterschlaf, die Händchen in Gylals Felljacke gekrallt.

Nur Ismael konnte nicht schlafen. Er saß im Heck und las in seiner Fibel. Er konnte sie jetzt von vorn bis hinten fließend lesen, und wenn er einen Stift gehabt hätte, dann hätte er sicherlich auch schreiben können. Er hätte aufschreiben können, was die drei Weisen in seinem Innern zu sagen hatten. „Na, seht mal, wie schön und friedlich die Kinder da in ihrem Kahn liegen. Sie sind geborgen, niemand kann ihnen etwas tun“, sagte der Erste und Ismael wollte ihm gerade recht geben, da fuhr der Zweite dazwischen: „Sie sind überhaupt nicht angekommen, und wenn sie so weitermachen, werden sie ihr Ziel nicht lebend erreichen. Der Mensch muss essen und mindestens trinken.“ Dann wieder die erste Stimme: „Wo auch immer sie sind, sie halten zusammen wie Pech und Schwefel.“ Darauf erwiderte die zweite: „Was für ein ausgemachter Unsinn! Elend ist das, und es wird elend enden.“ Ismael hätte dem Ersten gerne zugestimmt, aber die Wahrheiten des anderen war nicht zu überhören und machten ihm Angst. Schließlich meldete sich ein Dritter, dessen Stimme wie die seines Vaters klang, und sagte: „Einer ist wach. Hat er nicht eine Aufgabe?“

Ismael stand auf, schöpfte Wasser und zwang jeden, etwas zu trinken. Sie taten es und schliefen dann weiter. Wahrscheinlich träumten sie von ihrer glücklichen Zukunft. Er wiederholte das Wasserschöpfen von Zeit zu Zeit.

Wieder war es Nacht geworden. Mondlos. Wie ein großer schwarzer Topf stülpte sich die Dunkelheit über die weiten Wasser. Die Ufer waren weich gepolstert mit rundlichen Bäumen, in denen die Vögel schliefen. Der Strom schien sich zu teilen und in verschiedenen Richtungen im Grün zu verkriechen. Es war Ismael, als ob die Bäume das Wasser beisammenhielten, damit es nicht ganz zerfloss im unendlichen All. Das Wasser war ebenfalls schwarz, leicht gekräuselt, wie gerippte Seide. Am Himmel dagegen floss ein ewiger, weißer Strom, wie Sternenmilch.

Und darüber stand in Sternenschrift ein großes M geschrieben.

Er konnte es lesen. „M“, wie Mama. Über die Sternenschrift dachte er lange nach, und lange lauschte er den Geräuschen der Nacht.

Dann sah er den weißen Elch am Ufer stehen, der ihnen einst am Ostseestrand begegnet war. Sein Geweih leuchtete wie Gold. Der Elch schaute zu ihm herüber und scharrte mit dem Vorderhuf, und Ismael hörte ganz deutlich, wie er rief: „Ihr Elfen und Königskinder, ihr Prinzen und Prinzessinnen, kommt mit mir hinter die sieben Berge und sieben Meere ins neun mal neunte Königreich.“

Am andern Morgen zogen Donaufischer den Kahn an Land. Sie verstummten vor Trauer und Entsetzen, einige weinten, denn die Kinder sahen aus wie tot.

Aber sie schliefen nur.

Auf der Suche nach einem Hinweis fanden die Fischer den Zettel in Ambromows Brustbeutel.

> Da mir mein Sein so unbekannt
> Leg ich es ganz in Gottes Hand
> Der führt mich wohl, so hin wie her
> Mich wundert's, wenn ich traurig wär'.

Zuerst wussten sie nichts damit anzufangen. Aber dann erinnerte sich einer von ihnen an eine deutsche Ärztin. Sie arbeitete in einem Krankenhaus. Dorthin brachten die Fischer nun in aller Eile die Kinder.

Wie sie aber letztlich gerettet wurden und was dann mit ihnen geschah, das ist eine andere Geschichte.

SCHWEDEN
Malmö
OSTSEE
Dunika
Klaipeda
Moskau
Danzig/Gdansk
Minsk
Pinsk
Hambug
Vistula
Elbe
Berlin
Poznan
Warschau
DEUTSCHLAND
POLEN
Brest
Wroslaw
Leipzig
Bug
Kiev
Dresden
Krakow
Nürnberg
Prag
L'viv
Dniester
Donau
Wien
Buh
Bratislava
München
Budapest
Innsbruck
Graz
RUMÄNIEN
Odesa
Kishinev
Ljubljana
Timisoara
Asovisches
Meer
Trieste
Zagreb
Sibiu
Venezia
Bucharest
Belgrad
Donaudelta
Adria
Sarajevo
Craiova